D1599045

Bea

Démystifier les maladies mentales

ANOREXIE ET BOULIMIE

Comprendre pour agir

Collection « Démystifier les maladies mentales »
Dirigée par le Dr Pierre Lalonde

- *La schizophrénie*, Dr Pierre Lalonde et collaborateurs, 1995
- *Les dépressions et les troubles affectifs cycliques*, Dr Jean Leblanc et collaborateurs, 1996
- *Les troubles de l'enfance et de l'adolescence*, Dr André Gagnon et collaborateurs, 2001
- *Anorexie et boulimie : comprendre pour agir*, Dr Guy Pomerleau et collaboratrices, 2001

Les ouvrages de la collection « Démystifier les maladies mentales » sont rédigés sous la direction d'un psychiatre avec la collaboration de cliniciens d'expérience et de personnes témoignant de leur persévérance pour surmonter la maladie mentale qui les affecte.

Bien des tabous subsistent dans nos sociétés pourtant mieux informées et les personnes qui souffrent de ces maladies du cerveau font encore l'objet de préjugés, voire d'un certain ostracisme. Néanmoins, il est aujourd'hui reconnu que ces maladies ne devraient susciter ni honte ni sentiment de culpabilité. En fait, on estime qu'une personne sur cinq pourrait tirer avantage de soins psychiatriques à un moment ou un autre de son existence.

Les résultats optimaux du traitement des maladies mentales reposent sur une meilleure compréhension de la nature de ces maladies et sur une collaboration efficace entre les cliniciens et les patients. Lorsqu'elle dispose d'une information adéquate, la personne atteinte est en mesure de consulter plus rapidement et de participer plus activement à un traitement qui permettra une atténuation des souffrances et une prévention des rechutes; en outre, les proches sont alors davantage aptes à faire face à la situation.

La collection « Démystifier les maladies mentales » a justement été conçue dans le but d'offrir une information utile et de contribuer à réduire le fardeau que constituent ces maladies.

Dr Guy Pomerleau
et collaboratrices

Démystifier les maladies mentales

ANOREXIE ET BOULIMIE

Comprendre pour agir

gaëtan morin
éditeur

Données de catalogage avant publication (Canada)

Pomerleau, Guy

Anorexie et boulimie : comprendre pour agir

(Démystifier les maladies mentales)
Comprend des réf. bibliogr. et un index.

ISBN 2-89105-791-0

1. Comportement alimentaire, Troubles du. 2. Anorexie mentale. 3. Boulimie. 4. Comportement alimentaire, Troubles du – Traitement. 5. Anorexiques – Psychologie. 6. Boulimiques – Psychologie. I. Titre. II. Collection.

RC552.E18P65 2001 616.85'26 C2001-941503-6

Tableau de la couverture : ***Enchevêtrée***
Œuvre de **Gilles Jobin**

Gilles Jobin est natif d'Arvida. À l'adolescence, il démontre des dispositions pour le dessin et la peinture par des pratiques assidues qui occupent le plus clair de ses loisirs. Entre 1959 et 1966, il étudie à l'École des Beaux-Arts de Québec. Quoique diplômé en arts graphiques, Jobin se rend compte rapidement que la peinture est son meilleur mode d'expression. Ainsi décrit-il son art :

> « Expressionnisme, fauvisme, intimisme : autant de termes pouvant correspondre à ce que je fais. L'action doit précéder ma pensée lorsque j'œuvre ; c'est ainsi que je réussis le mieux. »

On trouve les tableaux de Gilles Jobin à la Galerie La Corniche à Chicoutimi.

Gaëtan Morin Éditeur ltée
171, boul. de Mortagne, Boucherville (Québec), Canada J4B 6G4
Tél. : (450) 449-2369

Nous reconnaissons l'aide financière du gouvernement du Canada par l'entremise du Programme d'aide au développement de l'industrie de l'édition (PADIÉ) pour nos activités d'édition.

Gouvernement du Québec – Programme de crédit d'impôt pour l'édition de livres – Gestion SODEC.

Révision linguistique : Ginette Gratton

Imprimé au Canada 1 2 3 4 5 6 7 8 9 0 10 09 08 07 06 05 04 03 02 01

Dépôt légal 4e trimestre 2001 – Bibliothèque nationale du Québec – Bibliothèque nationale du Canada

« Jeune femme à la recherche d'une identité
non sexuée, d'une féminité affinée,
différente, esthétique, spiritualisée »

UNE PATIENTE (anonyme)

Avertissement

Dans ce livre, le féminin est utilisé pour désigner la personne atteinte d'anorexie ou de boulimie. Dans les autres cas, le masculin est employé comme représentant des deux sexes dans le but d'alléger le texte.

REMERCIEMENTS

Ce livre est le résultat du travail d'une équipe, celle des membres du Programme d'intervention et de traitement des troubles des conduites alimentaires (PITCA) du Centre hospitalier universitaire de Québec. Sa réalisation n'aurait pas été possible sans la collaboration de la Dre Carole Ratté, psychiatre et responsable de ce programme, qui en a révisé l'ensemble. Par ses conseils et les clarifications qu'elle a apportées, elle a grandement contribué à en faire un outil didactique et thérapeutique.

Deux autres membres de l'équipe, Sonia Boivin, psychologue, et Audrey Brassard, diététiste, ont rédigé deux chapitres essentiels au traitement des jeunes femmes anorexiques et boulimiques. Je les remercie pour leur enthousiasme et leur dynamisme.

Je remercie aussi les patientes qui ont contribué par les exemples qu'elles ont fournis à rapprocher ce livre de la réalité clinique.

Guy Pomerleau, M.D.

AVANT-PROPOS

L'anorexie mentale et la boulimie sont deux troubles psychiatriques que l'on rencontre de plus en plus fréquemment. Ces troubles existent depuis longtemps, mais ils étaient peu connus au début du XXe siècle. On a assisté à une véritable explosion de ces problèmes dans la deuxième moitié de ce siècle.

Comme son titre le suggère, ce livre a deux objectifs. Nous voulons d'abord faire **comprendre** l'anorexie mentale et la boulimie en expliquant leur histoire, leur nature, les multiples facteurs impliqués dans leur apparition et leurs traitements. Comprendre, c'est déjà commencer à agir pour aider l'autre ou s'aider soi-même. Nous désirons ensuite présenter des instruments de travail aux praticiens en santé, aux infirmières, aux psychologues, aux travailleurs sociaux, aux nutritionnistes, aux ergothérapeutes, aux physiothérapeutes et aux médecins ainsi qu'aux patientes et à leur famille pour leur permettre d'**agir**. Tous ces gens sont interpellés dans le traitement de ces deux maladies particulièrement éprouvantes tant pour les personnes qui en souffrent que pour leur entourage immédiat. Très souvent, les familles sont portées à remettre en cause l'éducation des enfants et à s'attarder sur les attitudes à adopter à l'avenir, se questionnant sur la responsabilité des uns et des autres.

Au cours des vingt dernières années, j'ai travaillé auprès de ces personnes et de leur famille. C'est à partir de leurs interrogations et de l'expérience acquise auprès d'elles que j'ai pensé ce livre. Bien que j'aie lu beaucoup d'ouvrages scientifiques et reçu l'enseignement des experts en ce domaine, c'est avant tout l'écoute des jeunes femmes qui a constitué mon meilleur apprentissage.

Nous emploierons le féminin tout au long de ce livre parce que ces troubles se rencontrent surtout chez des jeunes filles et des jeunes femmes. Toutefois, la grande majorité de ces notions peuvent aussi s'appliquer aux hommes.

Table des matières

CHAPITRE 9
Retrouver et maintenir un poids normal

CHAPITRE 10
Acquérir des habitudes alimentaires saines

Audrey Brassard, Dt. P.

CHAPITRE 11
Vaincre les difficultés psychologiques : les psychothérapies

CHAPITRE 12
Thérapie cognitive

Sonia Boivin, Ph.D. (psychologie)

CHAPITRE 13
Hospitalisation et programme de jour

CHAPITRE 14
Prisonnière de la maladie

Rédigé en collaboration avec Carole Ratté, M.D.

CHAPITRE 15
Utilisation des médicaments

PRÉAMBULE

EXEMPLE CLINIQUE
Mélanie, 16 ans

Mélanie a 16 ans. Toute mince mais enveloppée comme un oignon dans des chandails, elle explique au psychiatre comment tout irait bien pour elle si ce n'était cette perte de poids qui inquiète tant ses parents. Sa mère est d'ailleurs dans la salle d'attente et le médecin la rencontrera tout à l'heure. Mélanie raconte qu'elle vient tout juste de s'avouer qu'il pourrait bien s'agir d'anorexie mentale mais que son cas n'est peut-être pas assez grave pour justifier une intervention professionnelle. Cela fait un an qu'elle a commencé à se préoccuper de son poids. Pourtant, elle n'était pas grosse ; elle était surtout musclée car elle fait beaucoup de sport, et elle avait reçu quelques commentaires taquins de son grand frère sur ses « grosses cuisses ».

Cet été-là, elle avait habité dans une famille de l'Ouest canadien pour y apprendre l'anglais. C'est alors qu'elle s'est mise au régime et qu'elle a commencé à faire de l'exercice tous les jours. Quand elle est revenue chez elle, fière de ses résultats (son poids était passé de 52 à 47 kilos), sa mère a bien été surprise, mais Mélanie l'a rassurée en lui disant qu'elle avait suivi un régime et que c'était terminé maintenant qu'elle avait atteint le poids désiré. Pourtant, en elle-même, Mélanie savait qu'elle n'était pas encore satisfaite, se trouvant le ventre un peu rond, et les cuisses un peu trop grosses. Et, surtout, elle avait tellement peur d'engraisser ! Elle a repris l'école mais n'a pas laissé tomber les exercices qui prenaient de plus en plus de place : redressements assis matin et soir, vélo, natation… Elle a commencé à jeter les lunchs que sa mère lui préparait pour dîner, à trouver des prétextes pour souper le moins souvent possible en famille. Sa performance scolaire demeurait excellente. Elle sortait cependant de moins en moins avec ses amies, s'isolait, passait tout son temps à étudier, à faire des exercices et à penser à ce qu'elle avait mangé, à ce qu'elle mangerait…

Elle se sentait constamment coupable d'avoir englouti trop de calories ou se reprochait sa « paresse » si elle n'avait pas été assez active. Chaque jour, elle se pesait, fière d'elle et entreprenant une bonne journée si elle avait maigri, déçue et se sentant nulle s'il en était autrement.

Son caractère changeait. Auparavant, si gentille, elle devenait irritable à la maison. Sa mère, maintenant consciente du problème, avait tenté de l'aborder mais s'était heurtée à un mur. Maintenant, le climat était tendu entre elles. La mère surveillait les repas de sa fille, l'obligeait à manger en famille, tantôt pleurant d'inquiétude, tantôt fâchée du manque de collaboration de Mélanie. Se sentant contrainte à manger parfois plus qu'elle ne le voulait, cette dernière a commencé à se faire vomir.

Aujourd'hui, elle pèse 40 kilos, n'est plus menstruée depuis six mois déjà et commence à être inquiète de son état. Elle sait qu'elle n'est pas grosse, mais elle est obsédée par la peur de reprendre du poids. Elle se rend bien compte qu'elle n'a plus le contrôle mais préfère sentir la faim plutôt que d'entendre cette petite voix au dedans d'elle qui lui répète qu'elle a trop mangé, qu'elle manque de volonté, qu'elle n'en fait pas assez…

COMMENTAIRE

On trouve ici une histoire typique : une jeune fille de 16 ans, un premier départ de la maison, un premier régime qui se prolonge, le sentiment d'être trop grosse, une perception déformée de certaines parties du corps, les exigences de performances scolaires, la satisfaction liée à la perte de poids, l'arrêt des menstruations, les vomissements provoqués, l'isolement, la tension familiale qui monte et la peur de prendre du poids qui prend toute la place… C'est l'anorexie mentale !

PARTIE I

Comprendre

CHAPITRE 1

Description des troubles des conduites alimentaires

Sommaire

Dans la nomenclature officielle de la *Classification internationale des maladies* (CIM-10) [1994] et le *Manuel diagnostique et statistique des troubles mentaux* (DSM-IV) [1996], on décrit sous la rubrique « Trouble des conduites alimentaires » deux entités cliniques différentes, l'anorexie mentale et la boulimie. Ces maladies sont nommées par les auteurs anglo-saxons *anorexia nervosa* et *bulimia nervosa*. À celles-ci s'ajoute une troisième entité présentée de façon expérimentale sous le terme d'« hyperphagie boulimique ».

Bien que ces entités soient décrites comme distinctes, elles n'en sont pas moins très proches l'une de l'autre, car elles ont en commun une préoccupation centrale pour la nourriture. De l'anorexie à la boulimie, il existe un continuum. La frontière n'est pas toujours franche entre les deux, et il n'est pas rare de voir des jeunes femmes anorexiques faire des crises de boulimie ainsi que des personnes boulimiques devenir anorexiques. Ce dernier cas est toutefois moins fréquent. On doit noter que l'obésité ne fait pas partie de ces troubles. D'ailleurs, les jeunes femmes boulimiques sont habituellement de poids normal, contrairement à ce que l'on peut penser.

À côté de ces troubles plutôt sévères que constituent l'anorexie et la boulimie, on rencontre de plus en plus de jeunes femmes préoccupées par leur poids. Des enquêtes auprès de cette population ont démontré que 50 % se trouvent trop grosses à 14 ans et que ce pourcentage atteint 70 % à 17 ans. Il faut se questionner sur ces résultats et sur les conséquences de ces préoccupations sur le plan alimentaire, de même que sur leur signification dans le développement psychologique des jeunes femmes.

ANOREXIE MENTALE

Selon le DSM-IV (1996), il existe quatre critères permettant de diagnostiquer l'anorexie mentale (voir l'encadré 1.1).

Critère A : Refus de maintenir un poids normal

La première caractéristique de la jeune fille anorexique est le refus de maintenir un poids minimal compte tenu de l'âge et de la taille. Ce refus est catégorique et, habituellement, la

ENCADRÉ 1.1
Critères diagnostiques de l'anorexie mentale selon le DSM-IV

A. Refus de maintenir le poids corporel au-dessus ou au niveau d'un poids minimum normal pour l'âge et la taille (p. ex., maintien du poids à moins de 85 % du poids attendu).
B. Peur intense de prendre du poids ou de devenir obèse, même si de faible poids.
C. Trouble de la perception du poids ou de la silhouette ou négation de la sévérité de la perte de poids ou influence excessive du poids ou de la silhouette sur l'évaluation de soi.
D. Absence de règles pour au moins trois cycles menstruels consécutifs.
Spécifier le type : – Type restrictif ; – Type avec crises de boulimie/vomissements ou prise de purgatifs.

Source : American Psychiatric Association (1994), *DSM-IV — Manuel diagnostique et statistique des troubles mentaux*, Paris, Masson, 1996.

jeune fille est profondément obstinée dans sa poursuite de la minceur. Généralement, l'adolescente anorexique refuse de se maintenir à 85 % du poids normal. Ce pourcentage n'est mentionné qu'à titre indicatif, car le poids peut être parfois supérieur, et il est habituellement nettement inférieur. Il n'est pas rare de voir en consultation des jeunes filles ne pesant que 70 % et parfois 60 % de leur poids normal. Chez d'autres adolescentes, la perte de poids fait suite à une certaine obésité. Cependant, si l'amaigrissement est rapide et important bien que le poids soit à la limite de la normale pour l'âge, il peut s'accompagner de toutes les autres caractéristiques de l'anorexie. Dans les formes les moins sévères, les patientes pèseront 90 % de leur poids normal. On doit noter que, généralement, les menstruations s'arrêtent lorsqu'il y a un amaigrissement de plus de 10 % par rapport au poids normal. Si le trouble survient avant la puberté, la croissance sera souvent retardée, de sorte qu'il faudra recourir aux tables de poids selon l'âge pour déterminer l'importance du retard de croissance.

Afin de fixer le poids idéal pour chaque jeune fille, on consulte les tables de poids en tenant compte toutefois de l'ossature et de la grandeur de chaque personne (voir le tableau 1.1).

– Pour les femmes ayant moins de 25 ans, on soustrait un demi-kilo par année. Par exemple, on diminue le poids idéal de 2 kg pour une femme de 21 ans.
– Le poids idéal peut varier d'environ 3 kg (7 lb) en plus ou en moins.
– Pour évaluer son ossature, on étend le bras sur une table, on plie l'avant-bras à 90°, on tourne le poignet vers l'intérieur, on place le pouce et l'index de l'autre main sur les deux os proéminents du coude et on mesure l'espace entre les deux doigts.

  Ossature moyenne :

  - de 5,6 cm à 6,3 cm pour les femmes mesurant moins de 1,60 m ;
  - de 6 cm à 6,6 cm pour les femmes mesurant entre 1,60 m et 1,80 m.

Pour fixer le poids idéal, les tables ne suffisent pas ; il faut toujours tenir compte de l'histoire pondérale de la jeune fille et des tendances pondérales familiales. Aujourd'hui, on

TABLEAU 1.1
Poids idéal en kilogrammes (et en livres) selon la taille et l'ossature (femmes adultes)

Grandeur	Petite ossature	Ossature moyenne	Grosse ossature
1,50 m 5 pi 0 po	49 kg (108 lb)	54 kg (119 lb)	58 kg (128 lb)
1,55 m 5 pi 2 po	51 kg (112 lb)	56 kg (123 lb)	61 kg (134 lb)
1,60 m 5 pi 4 po	54 kg (119 lb)	59 kg (130 lb)	64 kg (141 lb)
1,65 m 5 pi 6 po	57 kg (125 lb)	62 kg (136 lb)	67 kg (147 lb)
1,70 m 5 pi 8 po	60 kg (132 lb)	65 kg (143 lb)	70 kg (154 lb)
1,75 m 5 pi 10 po	63 kg (137 lb)	68 kg (150 lb)	73 kg (161 lb)
1,80 m 6 pi 0 po	65 kg (143 lb)	70 kg (154 lb)	76 kg (167 lb)

Source : Adaptation de *Metropolitan Height and Weight Tables*, 1983.

utilise de plus en plus, pour évaluer le poids idéal, la méthode de l'indice de masse corporelle (IMC), qui permet de déterminer le poids santé. L'indice de masse corporelle se calcule en divisant le poids en kilos par la taille en mètres carrés. La figure 1.1 permet de préciser l'IMC. Le poids santé correspond à un indice se situant entre 20 et 25 ; cet

FIGURE 1.1
Calcul de l'indice de masse corporelle (IMC)

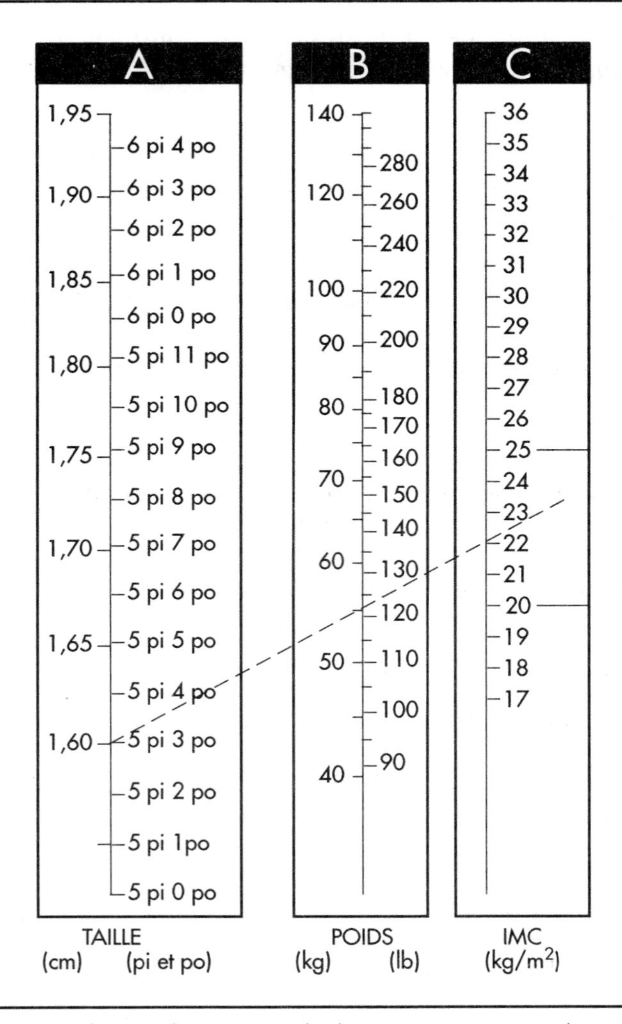

Source : Le Groupe d'experts des normes pondérales, Santé et Bien-être social Canada.

indice baisse en dessous des 17,5 chez les jeunes femmes anorexiques.

Pour calculer son IMC, on fait un X sur sa taille dans la colonne A de la figure 1.1. On met ensuite un X sur le nombre correspondant à son poids dans la colonne B. Puis on tire un trait reliant les deux X et on le prolonge jusqu'à la colonne C pour déterminer son IMC. Par exemple, si Suzie mesure 1,60 m (5 pi 3 po) et pèse 55 kg (121 lb), son IMC sera 22 (ligne pointillée). L'IMC ne s'applique pas aux personnes de moins de 20 ans et de plus de 65 ans.

L'anorexie mentale peut conduire à un amaigrissement particulièrement sévère et à un retard de croissance important chez l'enfant et l'adolescent. Anorexie ne signifie pas perte d'appétit, bien que le terme puisse le laisser penser. En effet, l'appétit est la plupart du temps conservé, et l'anorexique lutte constamment contre son besoin et son désir de manger. La patiente pourra utiliser différentes manœuvres de diversion, par exemple lire des livres de recettes ou alors faire la cuisine pour les autres et même les forcer à manger ce dont elle-même se prive. Afin d'atteindre son objectif (un poids toujours plus bas), la jeune fille se restreint de plus en plus sévèrement. Elle suit des régimes d'abord de façon intermittente puis régulièrement, et elle peut aller jusqu'à l'arrêt complet de tout apport nutritionnel. Dans les cas sévères, on verra des jeunes filles anorexiques se priver même de nourriture liquide, puis finalement d'eau, craignant que celle-ci ne contienne des calories. Lorsqu'elle atteint le poids visé, la jeune femme se sent rassurée pour un temps mais, par la suite, ce poids n'est plus acceptable et elle en fixe un autre encore inférieur…

En plus des restrictions alimentaires, on observe une augmentation de l'activité physique : l'adolescente s'adonne particulièrement à des exercices excessifs ou elle pratique des sports de façon exigeante. Il n'est pas rare de voir ces jeunes filles se lancer dans de multiples activités physiques pendant plusieurs heures par jour (vélo, jogging, natation), et cela en dépit d'une maigreur qui ne leur permet pas des efforts aussi soutenus. D'autres jeunes recourront à des moyens tels les vomissements provoqués, l'abus de laxatifs, de diurétiques ou de médicaments qui réduisent l'appétit.

Critère B : Peur de prendre du poids

La peur intense de prendre du poids, deuxième critère diagnostique, devient le centre des préoccupations de ces adolescentes. Cette peur est constamment présente à l'esprit, même si le poids est nettement inférieur à la normale. Le nouveau poids minimal atteint ne rassure que pour quelques jours ou quelques semaines la jeune femme ; elle cherchera ensuite à perdre encore quelques kilos jusqu'à ce qu'elle soit à nouveau rassurée, encore une fois pour quelques semaines ; peu après, elle essaiera de réduire davantage son poids. Tous les comportements alimentaires sont conditionnés par cette peur, d'où les pesées fréquentes et les malaises, sinon les anxiétés et parfois même les paniques face à la moindre prise de poids. Naturellement, si l'adolescente prend du poids, il y aura renforcement des restrictions alimentaires. La crainte de devenir obèse devient obsédante, de sorte que la jeune femme doit constamment perdre quelques centaines de grammes afin de se rassurer sur le contrôle qu'elle exerce sur son poids. On a d'ailleurs tendance aujourd'hui à considérer ce critère diagnostique comme le point central de l'anorexie, celle-ci constituant une véritable phobie de l'obésité ou de la graisse qui pousse la patiente à rechercher un poids toujours inférieur. Une jeune anorexique disait rêver au jour où, en se pesant, elle verrait l'aiguille indiquer zéro !

Critère C : Trouble du schéma corporel

Un trouble du schéma corporel est une difficulté de bien évaluer son poids, sa taille et ses formes. Les jeunes femmes anorexiques ont une vision d'elles-mêmes déformée, de sorte qu'elles se perçoivent comme grosses ou voient certaines parties de leur corps telles que les cuisses, le ventre ou le visage comme trop ronds, cela en dépit du fait qu'elles se savent de poids inférieur à la normale. La perception qu'elles ont de leur corps ou de certaines de ses parties est fausse et elles ne peuvent la corriger. Elles sont préoccupées jusqu'à l'obsession par la rondeur de leurs cuisses ou de leur ventre, niant l'importance de leur perte de poids et sous-estimant leur maigreur.

Certaines jeunes filles auront tendance à se peser de façon très fréquente, alors que d'autres examineront des parties de leur corps devant le miroir, déformant constamment l'image qui est reflétée ; d'autres encore fuiront cette image et n'oseront plus se regarder ou se peser. De plus, le poids devient un véritable paramètre de leur estime d'elles-mêmes. Plus elles sont minces et perdent du poids, meilleure est leur estime d'elles-mêmes ; elles déplacent ainsi sur leur corps leur insatisfaction personnelle. Prendre du poids réduit leur confiance en elles, alors que maigrir les rassure et leur redonne confiance. D'ailleurs, certaines éprouveront un sentiment de joie, de triomphe et de supériorité devant cette perte de poids et cette minceur. Au sujet de ses périodes de jeûnes sévères, une jeune patiente écrivait : « Et là, je m'aime à la folie, devenant hyperactive, puisant dans mon contrôle une force incroyable. Je nage, je danse, je cours, je lis, j'écris, je ne dors plus. Je ne deviens qu'énergie. »

Parfois, la négation de la gravité de la maigreur amène les jeunes anorexiques à négliger les graves conséquences de leur perte de poids. Cette négation n'est pas une obstination consciente mais fait partie des transformations psychologiques inhérentes à l'anorexie mentale.

Critère D : Aménorrhée

L'absence de menstruations (aménorrhée) est le quatrième critère diagnostique de ce trouble. Elle est due à un taux anormalement bas d'hormones œstrogéniques, qui lui-même est une conséquence directe de la perte de poids. Il arrive parfois que l'arrêt menstruel précède la perte de poids, ce qui est plutôt rare et est probablement lié à des restrictions qualitatives de nourriture, par exemple la suppression des corps gras du régime alimentaire. Cette absence de menstruations doit durer pendant trois cycles consécutifs. Cependant, si la jeune fille prend des anovulants, cette caractéristique sera camouflée par des menstruations artificiellement provoquées, de sorte qu'on ne trouvera pas chez elle ce quatrième critère.

Autres caractéristiques de l'anorexie mentale

En plus des caractéristiques de base décrites plus haut, l'anorexie mentale s'accompagne de différents comportements associés avec la nourriture : besoin de faire la cuisine pour les autres, d'inciter les autres à manger, de cacher de la nourriture, de faire des provisions inutiles, de couper la nourriture en petits morceaux, etc. Ces jeunes filles sont véritablement obsédées par la nourriture, leurs pensées étant envahies par cette préoccupation. Chaque repas entraîne des sentiments de culpabilité qui déclencheront des comportements compensatoires : exercices, prise de laxatifs, vomissements. Certaines seront portées à voler de la nourriture ou de petits objets plus ou moins utiles. Plus l'anorexie s'aggravera, plus ces jeunes femmes auront tendance à organiser leur vie autour de la nourriture et à s'isoler de leurs amis et de leur famille. Parfois apparaîtra une dépression secondaire résultant la plupart du temps de la perte sévère de poids. Les personnes anorexiques décrivent souvent la petite voix intérieure qui les blâme lorsqu'elles s'approchent de la nourriture ou tentent d'y résister : « Tu es une salope, tu es trop grosse, tu n'es pas assez forte. » Cette petite voix n'est jamais une alliée mais plutôt une ennemie que l'adolescente essaiera de satisfaire pour la faire taire. Il ne s'agit pas non plus des hallucinations auditives de la schizophrénie.

En résumé, l'anorexie mentale est un trouble du comportement alimentaire qui conduit à un amaigrissement particulièrement sévère et à un retard de croissance chez l'enfant et l'adolescente. Au centre de cette maladie, on trouve une peur intense de devenir obèse s'accompagnant d'une déformation de l'image corporelle et d'aménorrhée.

On décrit deux types d'anorexie mentale :

- *Le type restrictif* se caractérise par le fait que l'adolescente n'a pas eu, sur une base régulière, de comportements boulimiques ni de comportements purgatifs (vomissements provoqués ou utilisation abusive de laxatifs, de diurétiques ou de lavements). Il s'agit donc de jeunes femmes qui, essentiellement, suivent un régime sévère qu'elles complètent par des exercices excessifs quant à leur durée ou leur intensité ;

– *Le type avec crises de boulimie/vomissements ou prise de purgatifs* implique que, pendant la phase d'anorexie mentale, la jeune femme a régulièrement des comportements boulimiques ou purgatifs. En plus de suivre un régime sévère, ces jeunes femmes feront des crises d'orgie alimentaire suivies de vomissements ou alors, si elles ne font pas de telles crises, elles se feront vomir ou abuseront de laxatifs. On ne trouve pas ces comportements chez le *type restrictif.*

BOULIMIE

On trouve dans l'encadré 1.2 un résumé des cinq critères diagnostiques de la boulimie selon le DSM-IV.

ENCADRÉ 1.2
Critères diagnostiques de la boulimie selon le DSM-IV

A. Épisodes récurrents d'hyperphagie : (1) absorption d'une quantité importante de nourriture en peu de temps ; (2) sentiment de perte de contrôle.
B. Comportements compensatoires pour prévenir la prise de poids : vomissements provoqués, abus de laxatifs, exercices excessifs…
C. Les épisodes d'hyperphagie et les comportements compensatoires surviennent en moyenne au moins deux fois par semaine pendant trois mois.
D. Évaluation de soi indûment influencée par le poids et la silhouette.
E. Ne survient pas exclusivement dans le cours de l'anorexie mentale.
Spécifier le type : – Type avec vomissements ou prise de purgatifs ; – Type sans vomissements ni prise de purgatifs.

Source : American Psychiatric Association (1994), *DSM-IV — Manuel diagnostique et statistique des troubles mentaux*, Paris, Masson, 1996.

Critère A : Crises de boulimie

Les crises de boulimie sont définies comme suit :

- L'absorption, en une période de temps limitée (par exemple moins de deux heures), d'une quantité de nourriture largement supérieure à ce que la plupart des gens absorberaient en un laps de temps similaire et dans les mêmes circonstances ;
- Le sentiment d'une perte de contrôle du comportement alimentaire pendant la crise (par exemple impression de ne pas pouvoir s'arrêter de manger ou de ne pas pouvoir contrôler ce que l'on mange ou la quantité que l'on ingère).

La crise se caractérise donc à la fois par la prise d'une quantité exagérée de nourriture et par un sentiment de perte de contrôle pendant la crise. Ces deux éléments doivent être présents pendant la crise.

Certaines jeunes femmes préparent leur crise en achetant dans la journée les aliments qu'elles absorberont, tandis que d'autres agissent impulsivement, prenant ce qui leur tombe sous la main, indifférentes à ce qu'elles absorbent. Il s'agit d'aliments parfois salés (croustilles), souvent sucrés (pâtisseries), toujours très caloriques, qu'elles s'interdisent en dehors des crises. La personne boulimique se cache et s'isole pour faire sa crise. Elle a honte de son comportement. À mesure que la crise se déroule, elle ressent un malaise physique et psychologique grandissant. Physiquement, elle se sent mal, ballonnée, douloureusement distendue ; psychologiquement, elle est envahie par des sentiments de honte et de culpabilité. La perte de contrôle est telle que la crise ne prend fin que lorsque la personne est incapable de manger davantage car elle a trop mal physiquement, ou lorsqu'il n'y a plus de nourriture disponible. La personne boulimique doute d'elle-même, se déprécie, se dégoûte et cherche à se soulager par des comportements compensatoires (critère B).

Les coûts financiers de ces crises ne sont pas négligeables. On estime que chaque crise de boulimie coûte de 20 à 30 $. Si les crises se répètent à cinq ou six reprises dans la semaine, ce qui n'est pas rare, on peut imaginer le fardeau financier qui vient s'ajouter aux conséquences physiques et psychologiques de ce trouble. Certaines jeunes filles devront se résoudre à voler de l'argent à leurs parents ou à leurs proches, d'autres à dérober des aliments dans les épiceries. Ces problèmes rappellent ceux qu'éprouvent les personnes toxicomanes. D'ailleurs, certains auteurs voient dans la boulimie un trouble équivalent à la toxicomanie ; dans le premier cas, l'agent toxique est la nourriture, devant laquelle l'abstinence est impossible.

Critère B : Comportements compensatoires

La personne boulimique vise à prévenir la prise de poids avec des comportements compensatoires non appropriés et récurrents tels que les vomissements provoqués, l'emploi abusif de laxatifs, de diurétiques ou d'autres médicaments, les lavements, les jeûnes et les exercices physiques excessifs. Les personnes boulimiques ont le plus souvent recours aux vomissements. Ces derniers soulagent pour un moment leurs malaises physiques et psychologiques. Ainsi, ils constituent un renforçateur favorisant de nouvelles crises. Au début, les jeunes filles les provoquent en introduisant profondément leurs doigts dans la gorge ; plus tard, le réflexe du vomissement peut être déclenché spontanément. Quand la personne a terminé le cycle boulimie-purgation, il lui reste la honte et le dégoût qui donneront lieu au désir de jeûner. La privation, en se prolongeant, incitera à une nouvelle crise.

Critère C : Fréquence des crises

Pour donner lieu à un diagnostic de boulimie, les crises et les comportements compensatoires doivent survenir en moyenne deux fois par semaine pendant trois mois consécutifs. Certaines personnes font jusqu'à deux crises par jour, ce qui peut entraîner de graves complications.

Critère D : Estime de soi

Le fait que l'estime de soi soit modifiée de manière excessive par le poids et la forme corporelle rappelle certaines préoccupations que l'on trouve dans l'anorexie mentale. On reconnaît ici la parenté entre ces deux troubles. Dans l'un comme dans l'autre, la silhouette et la minceur sont les principaux gages d'un sentiment de valeur personnelle.

Critère E : Absence d'anorexie

Enfin, on peut poser un diagnostic de boulimie si le trouble ne survient pas pendant que la personne présente un tableau d'anorexie mentale ; donc, on ne doit pas retrouver les autres critères diagnostiques de l'anorexie, particulièrement la perte de poids. Bien qu'elle s'apparente à l'anorexie mentale, la boulimie est une entité clinique distincte (voir le tableau 1.2). Si une jeune femme fait des crises régulières de boulimie et qu'elle présente en même temps les quatre critères de l'anorexie mentale, on établira un diagnostic d'« anorexie mentale avec crises de boulimie » et non de « boulimie ».

TABLEAU 1.2
Comparaison entre l'anorexie mentale et la boulimie

Caractéristiques	Anorexie mentale	Boulimie
Poids	Maigreur	Poids habituellement normal
Histoire familiale du poids	Normale	Avec obésité
Comportements purgatifs	Plus ou moins fréquents	Très fréquents
Émotions	Neutres	Avec fluctuations
Abus d'alcool et drogues	Rare	Assez fréquent
Sexualité	Peu active	De normale à exagérée
Automutilation et tentatives de suicide	Rares	Assez fréquentes
Personnalité	Perfectionnisme, contrôle de soi	Agir, impulsivité

Deux types de boulimie

Comme pour l'anorexie mentale, on décrit deux types de boulimie. Le premier type se caractérise par des vomissements ou la prise de purgatifs. La personne a régulièrement recours à des vomissements provoqués ou emploie abusivement des laxatifs, des diurétiques et des lavements pour compenser les effets des crises de boulimie et particulièrement pour calmer sa peur de prendre du poids. Le deuxième type, « sans vomissements ni prise de purgatifs », implique que la personne, même si elle affiche des comportements compensatoires non appropriés tels que le jeûne ou l'exercice physique excessif, n'a pas régulièrement recours aux vomissements provoqués ou à l'emploi abusif de laxatifs, de diurétiques ou de lavements.

TROUBLE DES CONDUITES ALIMENTAIRES ATYPIQUE (NON SPÉCIFIÉ)

Les troubles atypiques (non spécifiés) sont des troubles anorexiques et boulimiques qui ne comportent pas toutes les caractéristiques de ces maladies. La perte de poids est moins importante, mais elle s'accompagne des autres symptômes ; il y a maintien des menstruations malgré la maigreur ; les crises de boulimie surviennent moins de deux fois par semaine. Ces troubles, même s'ils n'ont pas la sévérité de l'anorexie et de la boulimie, constituent des problèmes de santé qui témoignent d'une souffrance psychologique et entraînent une diminution du fonctionnement global. Ils correspondent souvent à des phases de début ou à des formes moins sévères d'anorexie et de boulimie.

HYPERPHAGIE BOULIMIQUE

Il s'agit d'une problématique que l'on décrit à titre provisoire dans le DSM-IV (voir l'encadré 1.3). Il faudra valider les critères avant de confirmer la pertinence de cette entité diagnostique.

En fait, l'hyperphagie boulimique est constituée de crises de boulimie qui ne sont pas associées avec des

ENCADRÉ 1.3

Critères de recherche pour l'hyperphagie boulimique (*binge eating disorder*) selon le DSM-IV

A. Survenue récurrente de crises de boulimie (*binge eating*). Une crise de boulimie répond aux deux caractéristiques suivantes :
   (1) absorption, en une période de temps limitée (p. ex., moins de 2 heures), d'une quantité de nourriture largement supérieure à ce que la plupart des gens absorberaient en une période de temps similaire et dans les mêmes circonstances.
   (2) sentiment d'une perte de contrôle sur le comportement alimentaire pendant la crise (p. ex., sentiment de ne pas pouvoir s'arrêter de manger ou de ne pas pouvoir contrôler ce que l'on mange ou la quantité que l'on mange).

B. Les crises de boulimie sont associées à trois des caractéristiques suivantes (ou plus) :
   (1) manger beaucoup plus rapidement que la normale
   (2) manger jusqu'à éprouver une sensation pénible de distension abdominale
   (3) manger de grandes quantités de nourriture en l'absence d'une sensation physique de faim
   (4) manger seul parce que l'on est gêné de la quantité de nourriture que l'on absorbe
   (5) se sentir dégoûté de soi-même, déprimé ou très coupable après avoir trop mangé

C. Le comportement boulimique est source d'une souffrance marquée.

D. Le comportement boulimique survient, en moyenne, au moins 2 jours par semaine pendant 6 mois.

E. Le comportement boulimique n'est pas associé au recours régulier à des comportements compensatoires inappropriés (p. ex., vomissements ou prise de purgatifs, jeûne, exercice physique excessif) et ne survient pas exclusivement au cours d'une anorexie mentale (*anorexia nervosa*) ou d'une boulimie (*bulimia nervosa*).

Source : American Psychiatric Association (1994), *DSM-IV — Manuel diagnostique et statistique des troubles mentaux,* Paris, Masson, 1996.

comportements compensatoires permettant d'éviter la prise de poids. Il semble que cette problématique survienne de plus en plus fréquemment sans qu'on puisse parler de boulimie franche. Les personnes atteintes ont un poids normal ou sont parfois obèses. Bien qu'elles soient préoccupées par leur excès de poids, elles ne visent pas un poids inférieur à la normale. Les crises de boulimie surviennent souvent à la suite du début d'un régime amaigrissant, car la restriction alimentaire est un puissant facteur précipitant. Elles sont aussi déclenchées par des sentiments de tristesse et d'ennui ou par de l'anxiété.

AUTRES TROUBLES DES CONDUITES ALIMENTAIRES DE L'ENFANCE

Nous décrirons sommairement les troubles suivants, qui sont plutôt rares et surviennent dans l'enfance.

Pica

Le pica est un trouble qui apparaît chez les jeunes enfants et qui se caractérise par l'ingestion répétée de substances non comestibles pendant une période d'au moins un mois (voir l'encadré 1.4). On ne connaît pas la fréquence de ce trouble, mais on pense qu'il n'est pas si rare parmi les enfants d'âge préscolaire. Les jeunes atteints mangeront de la peinture, des diachylons, de la ficelle, des cheveux, du tissu, du sable, des insectes, etc. Il ne faut pas confondre ce trouble avec le besoin qu'ont les jeunes enfants de 18 à 24 mois de porter à leur bouche toutes sortes d'objets. La plupart du temps, le problème durera plusieurs mois et aura tendance à disparaître graduellement. Il continuera rarement jusqu'à l'adolescence ou l'âge adulte. Ce trouble est souvent associé avec la déficience mentale. Le risque d'être atteint de cette maladie est plus grand dans certaines conditions sociales telles que la pauvreté, le manque de présence des parents ou la négligence de ces derniers ainsi que dans les retards de croissance. Lorsque le problème persiste, le retrait du milieu familial et une évaluation de la famille s'imposent. Le traitement implique une approche d'éducation et de soutien pour la famille associée à une thérapie comportementale.

ENCADRÉ 1.4
Critères diagnostiques du pica selon le DSM-IV

A.	Ingestion répétée de substances non nutritives pendant une période d'au moins un mois.
B.	L'ingestion de substances non nutritives ne correspond pas au niveau du développement.
C.	Le comportement ne représente pas une pratique culturellement admise.
D.	Si le comportement survient exclusivement au cours d'un autre trouble mental (p. ex., retard mental, trouble envahissant du développement, schizophrénie), il est suffisamment sévère pour justifier un examen clinique.

Source : American Psychiatric Association (1994), *DSM-IV — Manuel diagnostique et statistique des troubles mentaux*, Paris, Masson, 1996.

Rumination

La rumination est aussi appelée mérycisme. Ce trouble se caractérise par la régurgitation répétée et la remastication de la nourriture par de jeunes enfants, cela pendant une période d'au moins un mois et sans qu'il y ait de maladie gastro-intestinale ou autre affection médicale générale associée (voir l'encadré 1.5). La nourriture partiellement digérée est ramenée dans la bouche, sans nausée ni dégoût, et elle

ENCADRÉ 1.5
Critères diagnostiques du mérycisme selon le DSM-IV

A.	Régurgitation répétée et remastication de la nourriture, pendant une période d'au moins un mois faisant suite à une période de fonctionnement normal.
B.	Le comportement n'est pas dû à une maladie gastro-intestinale ni à une autre affection médicale générale associée (p. ex., reflux œsophagien).
C.	Le comportement ne survient pas exclusivement au cours d'une anorexie mentale (*anorexia nervosa*) ou d'une boulimie (*bulimia nervosa*). Si les symptômes surviennent exclusivement au cours d'un retard mental ou d'un trouble envahissant du développement, ils sont suffisamment sévères pour justifier un examen clinique.

Source : American Psychiatric Association (1994), *DSM-IV — Manuel diagnostique et statistique des troubles mentaux*, Paris, Masson, 1996.

est ensuite rejetée hors de la bouche ou, plus fréquemment, mâchée et avalée de nouveau. On ne peut parler de mérycisme si ces comportements surviennent au cours d'une anorexie mentale ou d'une boulimie. Pendant la phase de rumination, les enfants ont tendance à se tenir de façon très rigide, à courber le dos, à pencher la tête en arrière en faisant des mouvements de succion avec leur langue. Ce trouble est rare ; il apparaît très tôt, soit entre trois mois et un an, et il entraîne une perte de poids et des retards de croissance. L'approche thérapeutique est semblable à celle du pica.

Trouble de l'alimentation des jeunes enfants

Il s'agit d'un trouble de l'alimentation qui débute avant l'âge de six ans (habituellement au cours de la première année) et qui se manifeste pendant au moins un mois par l'incapacité de l'enfant à manger de façon normale. Cela se traduit par une absence de prise de poids ou une perte de poids. Il ne doit pas y avoir de maladies gastro-intestinales ou d'autres affections médicales ou psychiatriques associées qui pourraient expliquer ce comportement. La moitié des hospitalisations pédiatriques pour absence de gain de poids sont le résultat d'un tel trouble (voir l'encadré 1.6).

ENCADRÉ 1.6

Critères diagnostiques du trouble de l'alimentation de la première ou de la deuxième enfance selon le DSM-IV

A.	Difficultés d'alimentation qui se manifestent par une incapacité persistante du nourrisson ou de l'enfant à manger de façon appropriée, avec absence de prise de poids ou perte de poids significative pendant au moins un mois.
B.	La perturbation n'est pas due à une maladie gastro-intestinale ni à une autre affection médicale générale associée (p. ex., reflux œsophagien).
C.	La perturbation n'est pas mieux expliquée par un autre trouble mental (p. ex., mérycisme) ni par l'absence de nourriture disponible.
D.	Début avant l'âge de six ans.

Source : American Psychiatric Association (1994), *DSM-IV — Manuel diagnostique et statistique des troubles mentaux*, Paris, Masson, 1996.

On doit distinguer ce trouble des problèmes mineurs assez fréquents qu'on rencontre dans l'alimentation des enfants. Il faut qu'il soit associé à un retard de croissance ou à une perte de poids chez un très jeune enfant. Les jeunes atteints sont habituellement irritables ou inconsolables, parfois apathiques. Selon l'attitude des parents, le problème peut s'aggraver. Les parents peuvent réagir d'une façon hostile ou rejetante, ou ils peuvent essayer de gaver l'enfant, ce qui conduit à une escalade des difficultés d'alimentation. Ce problème peut se manifester chez les jeunes dont un parent présente un trouble psychiatrique ou chez ceux qui sont victimes d'abus. La plupart des enfants présentant cette problématique s'amélioreront progressivement pour autant que les parents pourront adopter des attitudes saines et feront face à la situation avec calme et patience. Une évaluation complète sur le plan pédiatrique s'impose dans le but d'éliminer la possibilité d'un trouble gastro-intestinal, neurologique ou endocrinien.

 CHAPITRE 2

Troubles psychiatriques associés à l'anorexie mentale et à la boulimie

Sommaire

Les jeunes femmes qui éprouvent un problème des conduites alimentaires présentent fréquemment une autre problématique psychiatrique tels un trouble de la personnalité ou une dépression, ou les deux.

TROUBLE DE LA PERSONNALITÉ ASSOCIÉ

La personnalité joue un rôle certain dans l'anorexie mentale et la boulimie. Tantôt elle a un effet sur la maladie, tantôt la maladie a un effet sur elle, sans qu'on puisse vraiment bien départager le rôle de l'une et de l'autre. En outre, les résultats des différentes études portant sur le sujet sont contradictoires.

Stonehill et Crisp (1977) ont observé que, chez les patientes anorexiques suivies en psychothérapie, on assistait à une réorganisation de la personnalité avec une diminution de certains traits névrotiques. Toutefois, malgré cette amélioration, une augmentation de l'anxiété sociale apparaissait. Cela concorde avec l'hypothèse de ces auteurs, selon laquelle l'anorexie permettrait d'éviter certaines situations sociales. Nous discuterons ce point dans le chapitre 4.

Casper (1990) a décrit certaines caractéristiques liées aux dimensions de la personnalité telles que définies par Cloninger (recherche de la nouveauté, évitement du danger, dépendance aux renforcements). Ainsi, cette auteure a observé que les personnes anorexiques évitent les situations de danger et sont dépendantes des renforcements sociaux. En cela, ces personnes diffèrent du groupe de jeunes femmes du même âge et du même milieu social que l'on avait pris comme groupe témoin. De plus, l'auteure a remarqué que les sœurs des jeunes femmes anorexiques avaient aussi ces deux caractéristiques, mais de façon moins accentuée. D'autres chercheurs ont décrit ces jeunes femmes comme des personnes perfectionnistes ayant tendance à avoir une évaluation négative d'elle-même, ces deux caractéristiques précédant l'apparition de l'anorexie mentale ou de la boulimie (Fairburn et coll., 1999). Pour Sohlberg et Strober (1994), ces personnes sont vulnérables et font face au défi de l'adolescence en adoptant des attitudes de dépendance et d'évitement.

Cependant, il ne faut pas négliger l'effet des troubles des conduites alimentaires sur la personnalité. En particulier, ces personnes ont tendance à s'isoler de plus en plus, tellement elles sont préoccupées par la nourriture et envahies par des sentiments de honte.

La revue de l'ensemble des études portant sur la coexistence des troubles de la personnalité et des conduites alimentaires démontre que de 40 à 50 % des jeunes patientes accusent un trouble de la personnalité. On peut définir ce dernier comme une atteinte durable sur les plans affectif, cognitif ou interpersonnel, entraînant une altération du fonctionnement social et professionnel, et une souffrance pour l'individu. Les principaux troubles de la personnalité dont souffrent les anorexiques sont :

– la personnalité évitante (inhibition sociale, sentiment de ne pas être à la hauteur, hypersensibilité au jugement négatif d'autrui) ;
– la personnalité dépendante (besoin excessif d'être protégé qui conduit à être soumis et « collant », et surtout à avoir peur de la séparation) ;
– la personnalité obsessionnelle (perfectionnisme, contrôle, rigidité, souci des détails, attitude scrupuleuse).

Chez les personnes boulimiques, on trouvera davantage des troubles de la personnalité limite (instabilité relationnelle et affective s'accompagnant d'une fluctuation marquée de l'image de soi et d'une grande impulsivité). S'il n'existe pas de frontière étanche entre l'anorexie mentale et la boulimie, il en est de même des troubles de la personnalité associés à l'une ou l'autre de ces entités.

La problématique de la personnalité apparaît de plus en plus fréquemment dans la littérature des vingt dernières années. On tente aujourd'hui de relier certains traits de personnalité avec l'évolution des troubles anorexiques. Par exemple, Sohlberg et Norring (1989) ont démontré que la faiblesse du moi et la méfiance interpersonnelle étaient des facteurs permettant de prédire une moins bonne évolution. Il en est de même pour Van den Ham, Van Strien et Van Engeland (1998) qui, dans une étude menée auprès de

49 patientes suivies pendant quatre ans, ont démontré que les traits psychologiques ont une plus grande valeur prédictive de l'évolution que la plupart des autres caractéristiques telles la perte de poids importante, les vomissements provoqués, etc. Ces chercheurs précisent que l'anxiété sociale et la peur de la maturité constituent les deux principaux éléments prédicteurs d'une moins bonne évolution.

AUTRES TROUBLES PSYCHIATRIQUES ASSOCIÉS

On a aussi étudié d'autres problèmes psychiatriques associés aux troubles des conduites alimentaires. On a observé une prépondérance beaucoup plus grande de troubles affectifs, particulièrement de dépression, de phobie sociale (peur persistante et intense de différentes situations sociales telles les situations de groupe) et de troubles obsessionnels-compulsifs. Ceux-ci sont caractérisés par l'intrusion de pensées récurrentes non appropriées qui entraînent une forte anxiété, par exemple la peur d'être contaminé, et par des compulsions, c'est-à-dire des comportements répétitifs tel le besoin constant de se laver les mains. Halmi (1991) et Herpetz-Dahlmann et ses collaborateurs (1996) ont démontré que ces trois troubles sont beaucoup plus fréquents chez les personnes anorexiques que dans les groupes témoins.

Comme on peut le voir dans le tableau 2.1, le trouble obsessionnel-compulsif, la phobie sociale et le trouble affectif, particulièrement la dépression, sont nettement plus fréquents chez les personnes anorexiques que dans les groupes témoins.

La fréquence moins élevée de l'ensemble des troubles dans l'étude de Herpetz-Dahlmann et ses collaborateurs s'explique par le fait que cette étude porte sur la prévalence instantanée, c'est-à-dire la coexistence simultanée à un moment précis des deux troubles, alors que les deux autres études portent sur la prévalence à vie, soit la présence d'un autre trouble à un moment quelconque de l'histoire des personnes faisant l'objet de l'étude.

Quant à la boulimie, Fichter et Quadflieg (1997) ont démontré la présence de troubles affectifs dans 60 % des cas

TABLEAU 2.1
Troubles psychiatriques associés à l'anorexie mentale

Auteurs	Trouble obsessionnel-compulsif	Phobie sociale	Trouble affectif (dépression)
Halmi (1991)	26% (8%)	34% (3%)	84% (23%)
Sullivan et coll. (1998)	16% (2%)	—	60% (42%)
Herpetz-Dahlmann et coll. (1996)	12% (3%)	21% (15%)	18% (3%)

Note : Les chiffres entre parenthèses indiquent la fréquence du trouble chez les groupes témoins.

et de troubles anxieux chez 34 % des sujets. Ces chercheurs ont noté que 41 % des jeunes femmes boulimiques abusaient de drogues ou d'alcool, ce qui contraste avec une fréquence beaucoup moindre dans les cas d'anorexie mentale.

On observe donc une forte association des troubles de conduites alimentaires avec des troubles de la personnalité ou d'autres entités psychiatriques. Cela témoigne de la fragilité des patientes, dont la problématique peut s'exprimer par des troubles des conduites alimentaires reliés ou non à des dépressions, à des obsessions, à des phobies ou à des troubles de la personnalité donnant lieu à des difficultés relationnelles et affectives. Toute approche thérapeutique devra donc tenir compte de l'ensemble de la personne et non uniquement de ses comportements anorexiques ou boulimiques.

CHAPITRE 3

Fréquence des troubles des conduites alimentaires

Sommaire

ANOREXIE MENTALE

C'est en 1689 que Richard Morton relate pour la première fois un cas d'anorexie mentale, mais il faut attendre la deuxième moitié du XIXe siècle pour que Lasègue, en France, et Gull, en Angleterre, décrivent de façon précise ce trouble (anorexie hystérique pour Lasègue, *anorexia nervosa* pour Gull) comme une maladie rare survenant chez des jeunes filles à la puberté. Au début du XXe siècle, Simmonds (1914) attribue cette maladie à un trouble de l'hypophyse, ce qui entraîne une confusion quant aux causes de cette problématique. En effet, Simmonds parle de la cachexie hypophysaire, une maladie qui ressemble fortement à l'anorexie, puisque les jeunes femmes qui en sont atteintes deviennent squelettiques. Mais cette affection liée à un trouble de l'hypophyse est distincte de l'anorexie mentale. Ce n'est qu'à partir des années 1950 et 1960 que l'on connaît beaucoup mieux cette entité et qu'on explore davantage les différents facteurs en cause, Hilde Bruch ayant été une pionnière dans ce domaine.

Il semble que l'incidence de la maladie ait considérablement augmenté depuis le milieu du XXe siècle. Ainsi, entre 1950 et 1961, Hilde Bruch ne pouvait appuyer ses observations que sur une douzaine de cas et, de 1930 à 1960, le Presbyterian Hospital de New York ne rapportait que 30 cas. Quatre études ont démontré que l'incidence de l'anorexie mentale avait triplé entre les années 1950-1960 et les années 1975-1985 (Jones et coll., 1980; Lucas et coll., 1985; Szmukler, 1985 ; Willi et Grossman, 1983). Il existe toutefois une certaine controverse à ce sujet. On considère aujourd'hui que l'incidence de ce trouble s'est stabilisée.

La plupart des études récentes ont révélé qu'environ 1 % des adolescentes et des jeunes femmes des sociétés industrialisées souffraient réellement d'anorexie mentale (Crisp, Palmer et Kalucy, 1976 ; Szmukler, 1985). Une étude (Ratté, Pomerleau et Lapointe, 1989) menée au Québec dans deux collèges auprès de jeunes femmes de 17 à 19 ans a montré que 1,5 % d'entre elles présentaient ou avaient présenté, au cours des deux années précédant la recherche, un problème d'anorexie mentale. Si, au lieu de tenir compte de l'ensemble des critères diagnostiques, on n'en retenait que trois sur quatre, ce pourcentage atteindrait 5 %. Les jeunes hommes souffrant de ce trouble ne représentent que 10 % de l'ensemble des cas.

D'autres études se sont attachées à évaluer le problème d'anorexie mentale dans des groupes considérés comme à risque. À titre d'exemple, Garner et Garfinkel (1980) ont démontré que, dans les milieux de la danse professionnelle, hautement compétitifs, on trouve 7,6 % de femmes anorexiques, alors que dans les milieux de danse moins compétitifs, ce pourcentage est de 3,8 %. Dans les deux cas, le pourcentage est plus élevé que parmi les femmes du même âge, et on observe une plus grande prépondérance du trouble lorsque la compétition est à son plus haut point.

Pour Garner et Garfinkel, la recherche de la minceur et l'exigence de performance constituent des facteurs de risque dans des milieux eux-mêmes à risque. Les études ont révélé des résultats semblables, quoique moindres, chez les professionnels de la santé, particulièrement les diététistes (Morgan et Mayberry, 1983) et les étudiantes en médecine (Herzog et coll., 1985). On décrit aussi une problématique similaire à la « triade de la femme athlète » chez les jeunes femmes qui s'entraînent physiquement à un haut niveau. Cette triade comporte trois caractéristiques, à savoir des troubles des conduites alimentaires associés à l'aménorrhée et à de l'ostéoporose. Il y a donc tout un travail de prévention à mener auprès de ces groupes.

Parallèlement à l'émergence de l'anorexie mentale, il existe un phénomène social qu'on pourrait appeler le « culte de la minceur ». Une étude récente (Collectif Action alternative en obésité, 1999) a permis de constater que 66 % des filles de 12 à 17 ans sont insatisfaites de leur poids et désirent être plus minces.

BOULIMIE

L'histoire de la boulimie est encore plus récente que celle de l'anorexie mentale bien que l'on rapporte certains cas dans la littérature avant 1950. Ce n'est qu'en 1979 que Russell, en Angleterre, décrit cette entité sous le terme de *bulimia nervosa*. La boulimie, en tant que comportement et non en tant que maladie, est connue depuis l'Antiquité. Dans les orgies romaines, on employait des salles appelées *vomitorium*. Le trouble boulimique en tant qu'entité médicale est décrit seulement à la fin des années 1970. On croit que cette problématique existait avant les années 1950, mais qu'elle était beaucoup moins fréquente, de sorte que plusieurs auteurs en font une maladie de la deuxième moitié du XXe siècle. On évalue à 2 % environ l'incidence de ce trouble chez les jeunes femmes (Garfinkel et coll., 1995 ; Kendler et coll., 1991). Il s'agit donc d'un problème encore plus répandu que l'anorexie mentale, dont la fréquence serait encore plus élevée si on ne tenait pas compte de tous les critères diagnostiques. Encore là, on estime que le nombre des personnes atteintes serait de deux à trois fois plus élevé si on se basait sur une définition large de cette problématique.

ÂGE ET SEXE

L'âge d'apparition de l'anorexie mentale se situe généralement entre 14 et 18 ans, mais, dans 10 à 20 % des cas, le trouble se manifeste avant 12 ans et, pour un petit pourcentage, après 25 ans. On ne possède pas de données quant à l'âge du début de la boulimie, mais on croit que ce trouble commence vers la fin de l'adolescence. L'anorexie touche majoritairement les filles, qui constituent 90 % de la population atteinte. La boulimie, dont sont surtout victimes des femmes, est plus répandue chez les hommes que l'anorexie. On a cru pendant longtemps que cette dernière maladie touchait des jeunes filles de classe socioéconomique favorisée, mais, si cette affirmation pouvait être vraie dans les années 1950-1960, on observe aujourd'hui une diffusion de l'anorexie dans l'ensemble des classes sociales.

En résumé, on peut retenir que l'anorexie mentale et la boulimie, bien qu'elles aient existé antérieurement, sont des maladies de notre siècle. Environ 1 % des jeunes femmes souffrent d'anorexie mentale, et 2 % sont touchées par la boulimie ; comme on observe de 3 à 4 fois plus de cas en ce qui concerne les troubles atypiques, on peut affirmer qu'aujourd'hui 10 % des adolescentes et des jeunes femmes sont aux prises avec une problématique anorexique, boulimique ou atypique. Au chapitre 4, il sera question du rôle que jouent les facteurs culturels dans l'apparition de ces troubles.

CHAPITRE 4

Causes des troubles des conduites alimentaires

Sommaire

Encore aujourd'hui, même si on en sait davantage sur la nature de l'anorexie mentale et de la boulimie, on en ignore les causes précises. Toutefois, on a établi un modèle multifactoriel impliquant des facteurs à la fois biologiques, psychologiques, familiaux et socioculturels. Le tableau 4.1 résume les principales hypothèses qui demeurent encore des sujets d'étude.

TABLEAU 4.1
Hypothèses causales

Causes biologiques	• Prédisposition génétique • Mécanismes neuroendocriniens • Déficit en neurotransmetteurs
Causes psychologiques	• Tempérament • Sentiment d'inefficacité • Crise d'identité • Peur de la maturité • Pensées automatiques négatives
Causes familiales	• Surprotection • Liens familiaux très serrés • Absence de résolution des conflits • Abus sexuels
Causes sociales	• Critères de beauté • Rôles de la femme • Préjugés contre l'obésité

FACTEURS BIOLOGIQUES

Facteurs génétiques

Sur le plan génétique, des études ont démontré que lorsque l'une de deux jumelles identiques souffre d'anorexie mentale, l'autre est également atteinte dans 56 % des cas ; chez les jumelles non identiques, cette concordance diminue à 5 % (Holland, Sicotte et Treasure, 1988). Ce dernier pourcentage s'applique aussi lorsqu'il s'agit de deux sœurs ou d'une mère et de sa fille. Nous résumons une étude plus récente dans le tableau 4.2 ; elle révèle que la parenté féminine des personnes anorexiques court 11,4 fois plus de risques de souffrir de cette maladie que la parenté féminine des personnes saines. De plus, on recense 3,5 fois plus de femmes boulimiques que d'hommes. On trouve sensiblement les mêmes données pour la parenté féminine des personnes boulimiques. Dans les cas de boulimie, la concordance entre deux sœurs jumelles identiques est de 23 %, alors qu'elle est de 9 % pour les jumelles différentes (Kendler et coll., 1991).

Ces résultats suggèrent que certains éléments génétiques jouent un rôle tant dans l'anorexie mentale que dans la boulimie, bien qu'ils soient loin de nous permettre de conclure que ces maladies sont d'origine exclusivement génétique. On doit toutefois retenir que des facteurs génétiques sont susceptibles de prédisposer à ces troubles.

Facteurs neuroendrocriniens

De nombreuses données permettent d'établir un lien entre l'anorexie mentale ou la boulimie et un trouble de la fonction hypotalamo-hypophysaire (qui régit la sécrétion des différentes hormones dans le cerveau). Ce dysfonctionnement se traduit par un déficit en hormones, dont celles que

TABLEAU 4.2

Risque que les membres de la parenté des personnes atteintes d'un trouble des conduites alimentaires souffrent de cette maladie

Trouble chez les parents féminins	Personnes anorexiques	Personnes boulimiques
Anorexie mentale	11,4%	12,1 %
Boulimie	3,5%	3,7%

Source : Strober et coll. (2000).

sécrète l'hypophyse, telle la LH-RH (*luteinizing hormone-releasing hormone*) et qui stimulent la fonction ovarienne. Dans ce trouble, on observe que :

- les œstrogènes diminuent ;
- l'hormone de croissance augmente ;
- certaines hormones thyroïdiennes peuvent diminuer ;
- la cortisone augmente dans le sang ;
- la testostérone diminue.

Toutefois, la plupart de ces altérations disparaissent avec la prise de poids. On peut ainsi considérer, selon toute probabilité, que ces anomalies sont non pas la cause, mais une conséquence de la perte de poids. On a noté que les altérations neuroendocriniennes se corrigent lentement après la reprise de poids, ce qui implique que la thérapie doit être d'une durée suffisamment longue, sinon ces facteurs augmenteront le risque de rechute (Kaye, Gendall et Strober, 1998).

Neurotransmetteurs

Actuellement, les études portent davantage sur les neurotransmetteurs, des substances qui favorisent les connexions entre les neurones du cerveau. C'est particulièrement dans la recherche sur la boulimie que l'on a étudié l'hypothèse sérotoninergique, selon laquelle cette maladie serait causée par un dérèglement de la sérotonine, neurotransmetteur qui est d'ailleurs impliqué dans d'autres troubles, tels que la dépression, l'impulsivité, l'évitement du danger et les troubles obsessionnels-compulsifs. La sérotonine a aussi comme effet de stimuler le centre de la satiété. Chez les boulimiques, on a observé une diminution de la sérotonine de même qu'une tendance de ce neurotransmetteur à augmenter après la guérison (Kaye, Gendall et Strober, 1998). Encore ici, il ne s'agit pas de réduire la problématique boulimique à un dérèglement du système sérotoninergique mais, comme le postulent Kaye, Gendall et Strober (1998), d'envisager que ce système puisse être vulnérable chez les boulimiques et que des stresseurs psychologiques, biologiques, interpersonnels ou psychosociaux puissent le perturber. Cette vulnérabilité pourrait d'ailleurs elle-même être d'origine génétique.

Chez les anorexiques, une étude (Diaz-Marsa et coll., 2000) a démontré une diminution de l'activité de la monoamine-oxydase dans les plaquettes sanguines. Cette substance, qui constitue elle-même un indice de l'activité de la sérotonine, relève en grande partie du patrimoine génétique. Cela témoigne encore une fois d'une perturbation de l'activité de la sérotonine et de l'influence de facteurs génétiques dans l'anorexie.

D'autres neurotransmetteurs jouent un rôle dans la régulation des comportements alimentaires. Ainsi, la noradrénaline stimule la consommation d'aliments riches en sucre, tandis que la dopamine a un effet inhibiteur sur l'absorption des gras (Leibowitz, 1995).

FACTEURS PSYCHOLOGIQUES

Sentiment d'inefficacité

Sur le plan psychologique, les études ont commencé beaucoup plus tôt et ont donné lieu à plusieurs hypothèses. C'est Hilde Bruch (1978) qui, dans un livre particulièrement intéressant, *The Golden Cage : The Enigma of Anorexia Nervosa*, a illustré que les symptômes anorexiques sont les conséquences d'un combat que livrent les adolescentes atteintes contre le fait de se sentir incompétentes et inefficaces pour mener leur propre vie et d'être assujetties aux exigences des autres. Cette psychanalyste situe au centre de la problématique un sentiment paralysant d'inefficacité, l'adolescente se sentant incapable d'affirmer ses propres besoins et d'établir ses limites, par crainte de décevoir les attentes de son entourage. La plupart des parents disent d'ailleurs de leur fille anorexique qu'elle est une enfant docile, serviable, attentive aux autres, ce qui donne l'image d'une petite fille parfaite.

Cependant, derrière cette façade se cache un blocage quant à la construction d'une identité et à l'acquisition d'une autonomie, les deux principales tâches psychologiques de l'adolescence. Se définir en acquérant son autonomie et en se différenciant des autres est un défi qui paraît insurmontable aux anorexiques. Ce déficit dans leur sentiment d'identité se manifeste par une incapacité à exprimer des opinions personnelles, voire à cerner leurs propres sensations corporelles telles que la faim, la satiété, l'épuisement, etc. L'image de l'enfant parfaite s'est en fait construite sur des déficits personnels. Il n'est donc pas étonnant de constater que les symptômes ont tendance à apparaître à l'adolescence, à la suite de circonstances dans lesquelles la jeune fille doit davantage faire preuve d'autonomie ou encore s'engager dans une relation affective plus intime. L'anorexie apporte aux adolescentes un sentiment de satisfaction et de force intérieure ; c'est une victoire sur leur sentiment d'inefficacité : le contrôle qu'elles exercent sur leur corps et leur absorption de nourriture leur permet de compenser bien artificiellement leur inaptitude à maîtriser leur vie émotive et interpersonnelle.

EXEMPLE CLINIQUE
Julie et la gentillesse

Julie a 21 ans. C'est une fille très gentille, douce, conciliante, affichant constamment un sourire timide. Elle semble bien motivée à guérir son anorexie et se montre aussi gentille avec ses thérapeutes qu'avec son entourage. Pourtant, bien qu'elle prenne du poids pendant ses séjours à l'hôpital, elle rechute aussitôt sortie et rien ne semble évoluer dans son esprit. Elle demeure cette « petite fille » obéissante qui, laissée à elle-même, ne sait pas ce qu'elle aime ni ce qu'elle souhaite et est incapable de se projeter dans l'avenir, dans le rôle d'une femme mature.

Crise d'identité

Crisp (1980) a décrit l'anorexie comme une crise d'identité sévère, une maladie servant à éviter la maturité biologique qui s'installe à l'adolescence et à réagir face à un monde adulte qu'on croit trop exigeant. Outre l'amaigrissement excessif, l'anorexique subit une véritable régression à une période prépubère tant sur le plan psychologique que sur le plan biologique. Certaines anorexiques ne ressentent que confusément ces peurs, alors que d'autres sont capables d'exprimer clairement qu'elles ne veulent pas vieillir et que le monde adulte leur fait peur. L'amaigrissement permet à l'organisme de régresser à un stade prépubère, constituant ainsi un mécanisme d'évitement. Il s'agit en fait d'une crise d'identité sévère que l'adolescente ne parvient pas à traverser.

EXEMPLE CLINIQUE
Sophie et l'intimité

Sophie devient anorexique à 15 ans, moment où elle commence à s'intéresser aux garçons et se met à douter d'elle-même. Suivra ce qu'elle appelle une « parenthèse » de cinq ans au cours de laquelle, évitant ce qui lui fait peur, elle maigrit, s'isole, ne s'intéresse plus qu'à son régime et à ses activités physiques intensives. À 20 ans, malheureuse et se voyant enfermée dans la prison de l'anorexie, elle consulte enfin. Comme elle est très motivée, elle évolue très bien. Cependant, alors que son poids se normalise et qu'elle recommence à entretenir des rapports sociaux, réapparaît son intense malaise face à l'intimité avec les garçons, sur lequel Sophie doit maintenant se questionner en psychothérapie.

Rejet du corps comme objet sexuel

Pour Laufer (1986), l'image du corps de l'adolescente se modifie par l'intégration des changements sexuels qu'il subit. La jeune fille anorexique rejette inconsciemment ce corps sexué et se met même à le haïr puis à s'y attaquer en devenant anorexique. Il s'agit donc d'une brisure dans le processus d'organisation sexuelle de l'adolescente.

EXEMPLE CLINIQUE
Francine et la puberté

Peu avant sa puberté, Francine devient anorexique ; elle dit craindre la féminité, la sexualité la dégoûte et elle espère conserver toujours son corps d'enfant. Elle refuse de s'habiller en jeune femme et jette les sous-vêtements que sa mère lui achète.

Le corps : un ennemi menaçant

Selvini Palazzoli (1986), psychanalyste qui a fondé l'École de thérapie familiale de Milan, décrit un processus de « paranoïa interne » dans lequel le corps en vient à représenter un objet tout-puissant, menaçant et qui domine l'adolescente. Si elle s'est mise à considérer ce corps comme mauvais et menaçant, c'est qu'elle a vécu des expériences infantiles d'intrusion. Palazzoli explique que les besoins physiologiques de l'enfant n'ont pas été satisfaits de façon adéquate par son environnement immédiat, de sorte que la fillette a fini par se faire une mauvaise image de son corps, qui représente ces figures intrusives. Pour se protéger, elle deviendra plus forte que ce corps dont elle niera les besoins, et elle tentera de transformer ce maître en esclave, d'où un clivage corps-esprit. Le corps est un objet mauvais qui doit être dominé par un esprit tout-puissant. C'est le triomphe de l'esprit sur le corps ; mais à quel prix ?

EXEMPLE CLINIQUE
Suzie, victime de l'inceste

Suzie a été victime d'une relation incestueuse de 7 à 11 ans. Elle n'arrive pas à concevoir que son corps lui appartient ; elle le trouve sale et craint qu'il ne sente mauvais. Elle a tendance à s'automutiler en se lacérant et a même porté des cilices pour se faire souffrir. Elle est fascinée par les photos de squelettes qu'elle colle aux murs de sa chambre. Elle espère se débarrasser de ce corps en maigrissant et aspire à devenir un pur esprit.

Déficit du *self*

Dans les écoles psychanalytiques, les théoriciens du *self* ont élaboré un système de concepts original relativement à l'anorexie mentale à partir de la notion de *self-object*. Le *self-object* est essentiel à la cohésion du soi. Pour qu'il se construise, il faut qu'une personne soit en relation avec une autre et s'attende à ce que cette dernière comble un besoin interne essentiel (par exemple l'apaisement) qu'elle-même ne peut satisfaire. Ce sont les expériences positives de l'enfance qui assureront le développement de ce *self-object*, qui lui-même permettra d'acquérir une bonne estime de soi et la confiance en soi, ainsi qu'un sentiment de continuité qui aura une fonction calmante et apaisante lorsque cela sera nécessaire. Selon cette théorie, la personne anorexique est incapable de s'adresser aux êtres humains dans le but de combler ses besoins en tant que *self-object*. Elle se comporte comme si elle n'avait pas de *self* (soi) et se dévoue pour satisfaire les besoins du *self-object* des autres (Bachar, 1998). On note donc chez elle une déficience du *self*, cette partie de chaque personne qui permet d'acquérir des valeurs personnelles, de se donner des priorités, d'expérimenter, de gérer ses tensions et de maintenir un sentiment de cohésion et une bonne estime de soi. Pour les théoriciens du *self*, les patientes anorexiques n'ont pas pu intégrer dans un tout personnel les expériences corporelles, cognitives et affectives de l'enfance. Sans objet extérieur, elles sont impuissantes, inefficaces, sans identité. Le monde se réduit au corps, la jeune fille nourrit les autres et se met à leur service.

EXEMPLE CLINIQUE

Julie l'altruiste

Julie avait cinq ans lorsque sa petite sœur Martine est née. Comme sa maman a fait une dépression post-partum qui a duré plus d'un an et que l'état de celle-ci lui semblait bien fragile, Julie a cessé de demander qu'on réponde à ses propres besoins et elle a mis toute son énergie à s'occuper de sa sœur. Sa principale préoccupation est devenue le bien-être de Martine : la bercer, lui chanter des chansons, la nourrir, deviner ses désirs, la protéger. Julie est devenue la maman. Aujourd'hui, à 19 ans, elle ne reconnaît pas encore ses besoins ni ses propres goûts. Elle vit pour les autres, aime se dévouer, cherche toujours à faire plaisir. Bien qu'elle réussisse bien au collège, elle est dans une impasse. Elle ne sait pas ce qu'elle veut devenir, elle est incapable de choisir une orientation professionnelle. D'ailleurs, depuis un an, elle est anorexique. Depuis qu'elle consulte, elle commence à comprendre qu'il s'agit d'un signal, d'une révolte peut-être, et qu'elle doit commencer à s'occuper d'elle-même, à devenir sa propre maman.

Tempérament

Le tempérament correspond à des prédispositions fondamentales d'origine biologique qui colorent la personnalité. Ce sont des tendances simples, déterminées génétiquement, qui deviennent stables quelques années après la naissance. La personnalité est le résultat de l'interaction entre ces tendances constitutionnelles (hérédité) et les expériences de la vie (environnements social et familial) [Gunderson et coll., 1995].

Les études sur le tempérament ont tenté de décrire des caractéristiques prédisposant à l'apparition de troubles alimentaires. Parmi celles-ci, on trouve :

- le conformisme ;
- le manque d'initiative et de spontanéité ;
- l'inhibition dans les comportements et l'expression des émotions ;
- l'évitement du danger ;
- la dépendance aux renforcements sociaux.

Ces caractéristiques personnelles sont considérées comme des facteurs de risque. Elles favorisent le développement d'une personnalité fragile, angoissée, et compromettent le développement d'une identité propre.

Steiger et Israël (2000) résument bien dans la figure 4.1 les différents traits de personnalité en relation avec l'anorexie restrictive (à gauche) et les troubles boulimiques-purgatifs (à droite). La figure illustre également le chevauchement qui existe entre les deux entités.

FIGURE 4.1
Types de trouble des conduites alimentaires et traits de personnalité

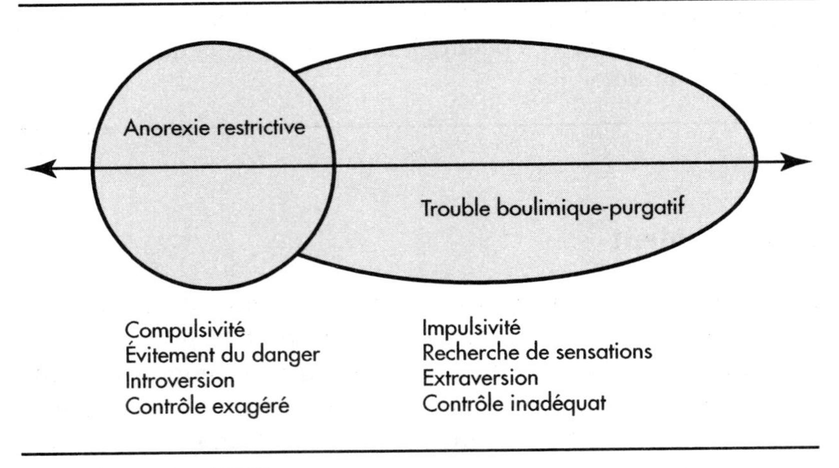

Source: Steiger et Israël (2000).

Lutte contre l'oppression de la femme

Pour les tenants de l'approche féministe, l'anorexie est une « grève de la faim » contre une culture qui opprime la femme, un cri émis face aux abus et à la négligence, une démonstration de force personnelle, le refus de l'exploitation sexuelle et un geste de protestation contre une société de consommation matérialiste (Wooley, 1995).

Abus sexuels

Récemment, on a avancé que les abus sexuels vécus dans l'enfance pouvaient être un facteur prédisposant des troubles des conduites alimentaires, en particulier la boulimie. Environ un tiers des personnes traitées pour ce type de problème ont été victimes d'abus sexuels dans leur enfance. Bien que cette hypothèse ne soit pas spécifique aux troubles des conduites alimentaires, l'abus sexuel est un facteur de risque pour plusieurs problématiques psychiatriques dont la boulimie (Welch et Fairburn, 1994). Les expériences de sévices sexuels ont une influence directe sur le développement de la personnalité et, notamment, de l'estime de soi. À ce titre, elles peuvent prédisposer à l'apparition d'un trouble des conduites alimentaires.

Troubles cognitifs

Au cours des quinze dernières années, on a largement employé les approches cognitives dans le traitement des anorexiques et des boulimiques. On a pu ainsi décrire des problèmes conceptuels se manifestant par des pensées automatiques négatives et des règles internes qui jouent un rôle dans l'apparition et le maintien des troubles des conduites alimentaires. Chez les patientes, on trouve de fausses croyances telles que « la minceur est un gage de bonheur » et des fausses valeurs relatives à la nourriture telles que « toute prise de gras est mauvaise ». Ces fausses valeurs s'expriment par rapport au poids et au corps, ce dernier étant perçu comme le seul indice de l'estime de soi : plus la jeune femme maîtrise son corps et plus elle est mince, plus elle sent qu'elle a de la valeur et plus elle croit en elle. Le corps et le poids deviennent les baromètres de l'estime de soi. Ces distorsions cognitives s'étendent à d'autres domaines que le poids. Par exemple, la règle du « tout ou rien » vaut dans plusieurs situations : « Si ce n'est pas parfait, c'est un échec » ; « Si je ne contrôle pas tout, je perds le contrôle ». Cette règle s'applique aussi aux attitudes à l'égard de l'alimentation et du poids : « Si je prends un kilo, je vais devenir obèse » ; « Le gras est mauvais, les protéines sont bonnes ».

Ces jeunes femmes sont souvent soumises à la tyrannie des « je devrais ». On fait tout au nom du devoir et rien au nom du plaisir, ce qui entraîne des attitudes perfectionnistes, exigeantes et paralysantes : « Je dois être la première, je dois être la plus populaire, je dois exceller dans les sports, etc. »

Pour les cognitivistes, ces distorsions représentent un élément essentiel du développement et du maintien des comportements anorexiques et boulimiques. Ce sont de fausses croyances qui se sont construites à l'insu de la personne et qui modifient son système de valeurs et son fonctionnement.

FACTEURS FAMILIAUX

Minuchin, Rosman et Baker (1978), un groupe de thérapeutes familiaux, ont décrit des familles où les liens entre les individus sont enchevêtrés et les limites, peu précises. Selon ces auteurs, certains parents surprotègent leurs enfants et tendent à les diriger subtilement mais de façon rigide, ce qui décourage la recherche d'autonomie et l'individuation. On exprime peu ses mécontentements, on les garde secrets et on ne résout jamais les conflits. Ces caractéristiques on été relevées dans des familles comprenant des enfants atteints de troubles psychosomatiques et anorexiques. Bien qu'il n'y ait pas de liens particuliers de cause à effet entre ces phénomènes, on trouve dans ces familles un climat favorisant l'éclosion de ce type de problématiques.

Pour sa part, Selvini Palazzoli (1986) a décrit des familles d'anorexiques où la communication paraissait cohérente, mais où on avait tendance à rejeter les messages individuels et où il était difficile d'assumer un rôle de leadership. Dans ces familles existaient des alliances non exprimées et régnait un esprit de sacrifice. La relation conjugale semblait sans problèmes, mais cachait en réalité une désillusion. Chez les boulimiques, on a plutôt dépeint des familles où les conflits étaient ouverts sans qu'on cherche à les résoudre, et où avaient cours une certaine négligence et des comportements de rejet.

Agras, Hammer et McNicholas (1999) ont étudié l'influence des comportements des mères qui étaient ou avaient été anorexiques ou boulimiques sur leurs filles, et ce dès la naissance, en les comparant à un groupe témoin d'enfants dont les mères n'avaient pas souffert de troubles de l'alimentation. Ils ont constaté que les filles des mères anorexiques ou boulimiques tétaient beaucoup plus rapidement et qu'elles étaient sevrées en moyenne neuf mois plus tard que les autres. Les mères anorexiques ou boulimiques avaient tendance à utiliser la nourriture à des fins non nutritives (par exemple pour calmer un enfant) et elles se préoccupaient davantage du poids de leur fille. Les auteurs concluent que l'interaction entre ces préoccupations maternelles pour les filles et l'avidité marquée de celles-ci peut constituer un facteur de risque sérieux pouvant mener au développement ultérieur d'un trouble de l'alimentation.

Les travaux de recherche dans le domaine des théories familiales n'ont pu jusqu'à ce jour déterminer un modèle particulier d'interaction familiale favorisant l'apparition des troubles de l'alimentation. En outre, on a observé chez des familles d'anorexiques gravement atteintes un fonctionnement sain. Il faut en retenir qu'il existe un système interactionnel entre, d'une part, l'adolescente anorexique et son tempérament et, d'autre part, un milieu familial avec ses attitudes propres. Il est toujours intéressant d'examiner cette interaction, sans pour autant chercher à mettre le doigt sur un responsable ou un coupable. Il demeure important de s'assurer qu'il ne s'est pas installé un système familial qui entretiendrait le trouble des conduites alimentaires.

FACTEURS SOCIOCULTURELS

C'est surtout en raison de l'apparition récente des troubles des conduites alimentaires et de leur progression rapide dans les années 1960 que l'on a mis en cause les facteurs socioculturels. On avait notamment démontré qu'il y avait davantage de cas d'anorexie mentale dans les classes sociales favorisées et dans les sociétés industrialisées. Parmi les facteurs socioculturels évoqués, deux retiendront notre attention.

Le premier facteur concerne les critères sociaux de beauté véhiculés par les jeunes mannequins au corps particulièrement mince et presque asexué. Ce culte de la minceur s'exprime dans notre société par une profusion de régimes alimentaires et un contrôle sévère du poids. Être mince semble pour la jeune femme un facteur de réussite personnelle et sociale. Pour objectiver cette valorisation sociale de la minceur, Garner et Garfinkel (1980) ont étudié l'évolution des modèles de Miss America et de ceux de la page centrale du magazine *Playboy*. Ils ont pu établir qu'au cours des années le poids moyen de ces modèles avait beaucoup diminué et qu'en plus les proportions épaules-taille-hanches avaient tendance à devenir plus masculines. Ainsi, le poids des candidates qui se présentent au concours de Miss America serait en moyenne de 15 % inférieur au poids normal.

Une femme de poids normal a un corps constitué généralement de 22 à 25 % de gras, alors que l'idéal esthétique chez les comédiennes et les mannequins est d'environ 10 à 15 %. Pour fabriquer les hormones permettant d'être menstruée, le corps doit contenir un taux de 20 à 22 % de gras. Les idéaux de beauté ne sont donc pas naturels. Les femmes ont plus souvent tendance que les hommes à se conformer à ces critères esthétiques. Pensons aux Chinoises des XIIe et XIIIe siècles qui devaient bander leurs pieds pour qu'ils soient plus petits, ou au port du corset au XIXe siècle (Wilfley et Rodin, 1995). Les critères de beauté actuels servent de base de comparaison aux adolescentes et aux jeunes femmes. Aujourd'hui, pour celles qui sont vulnérables et dont l'estime de soi est chancelante, la recherche de cette minceur, gage de réussite, devient une grande tentation.

Le deuxième facteur socioculturel a trait aux changements profonds du rôle de la femme qui se sont opérés au cours des dernières décennies et qui ont fait en sorte qu'elle soit obligée de performer en tant qu'épouse, mère et travailleuse. On croit que des objectifs élevés de performance associés à la valorisation de la minceur ont pu causer l'augmentation de la fréquence des troubles de l'alimentation. Du reste, on trouve ces deux tendances dans les écoles nationales et internationales de ballet où, effectivement, les cas de troubles de l'alimentation sont beaucoup plus nombreux qu'ailleurs.

Les facteurs socioculturels pourraient expliquer en partie l'augmentation de la fréquence des troubles des conduites alimentaires. Cependant, comme tous les autres facteurs étudiés, on ne saurait les considérer comme déterminants dans l'apparition de ces maladies. Chose certaine, ils favorisent leur émergence chez des personnes fragiles ou à risque (en raison de facteurs génétiques, biologiques ou familiaux, ou encore de leur personnalité ou de leur tempérament).

MODÈLE MULTIDIMENSIONNEL

Plusieurs facteurs sont en cause dans le développement de l'anorexie mentale. La figure 4.2 présente un modèle multidimensionnel de ces facteurs. Au centre, on trouve l'anorexie mentale et la boulimie, et autour, les facteurs prédisposants, précipitants et perpétuants. Ce n'est qu'en tenant compte de l'interrelation entre tous ces éléments qu'on pourra mieux comprendre le rôle de chacun, dont l'importance varie d'une personne à l'autre.

FIGURE 4.2
Modèle multidimensionnel

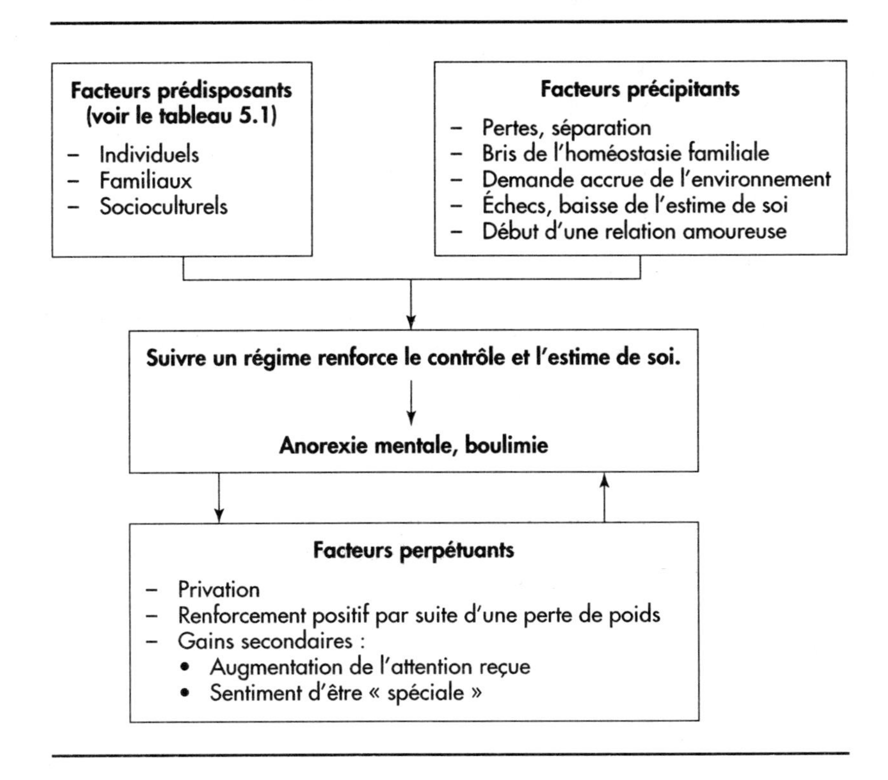

CHAPITRE 5

Évaluation des patientes

Sommaire

On évalue sur les plans physique, psychologique et familial les personnes atteintes d'un trouble des conduites alimentaires.

ÉVALUATION PHYSIQUE

Cette évaluation est effectuée par un médecin et consiste en un examen physique complet. Une attention particulière est apportée à la peau, aux cheveux ainsi qu'aux fonctions cardiaque, digestive et rénale. L'examen physique peut permettre de détecter :

- un état de dénutrition ;
- la présence d'un lanugo (duvet sur la peau) ;
- une sécheresse et une perte des cheveux ;
- une hypertrophie (élargissement) des glandes salivaires rappelant des joues d'écureuil ;
- une érosion de l'émail des dents (due aux vomissements) ;
- un œdème (gonflement) des membres inférieurs ;
- une bradycardie (ralentissement du rythme cardiaque) ou d'autres troubles du rythme cardiaque ;
- des troubles de la motilité intestinale ;
- un ralentissement de la circulation sanguine ;
- une hypotension (baisse de la tension artérielle) ;
- une hypothermie (baisse de la température du corps) ;
- des ulcérations du dos de la main, abîmé par les dents au moment des vomissements provoqués.

L'ostéopénie et l'ostéoporose sont des complications qu'on observe fréquemment chez les femmes dont l'anorexie évolue depuis quelques années ou plus. En effet, on a noté (Baker, Roberts et Towell, 2000) dans 43 % des cas une baisse de la densité minérale osseuse qui ne s'améliore pas au cours des deux années qui suivent la reprise du poids. Dans cette étude, la durée de la maladie était d'environ dix ans, et les facteurs prédisant une baisse importante de la densité minérale osseuse étaient la durée de l'aménorrhée, un indice de masse corporelle bas, des vomissements fréquents ainsi que la consommation habituelle de cigarettes et d'alcool. Aujourd'hui, il est possible d'améliorer cette perte osseuse grâce à de nouvelles médications (voir le chapitre 14).

On doit effectuer les tests de laboratoire suivants chez toutes les personnes qui se présentent pour une consultation : une formule sanguine complète, un examen sommaire et microscopique des urines, un dosage des électrolytes sanguins, de la créatinine (fonction rénale) et de la TSH (fonction thyroïdienne) [voir l'encadré 5.1 et le tableau 5.1]. Chez les patientes qui paraissent mal nourries et dont les symptômes

ENCADRÉ 5.1
Anomalies détectables en laboratoire

- Hypoprotéinémie (baisse des protéines sanguines)
- Hypocalcémie (baisse du calcium sanguin)
- Hypokaliémie (baisse du potassium sanguin)
- Anémie ferriprive (déficience en fer)
- Baisse de la densité urinaire (insuffisance rénale)
- Baisse de la densité osseuse (ostéopénie et ostéoporose)

TABLEAU 5.1
Examens de laboratoire

Chez toutes les patientes	Formule sanguine complète Examen des urines Électrolytes : Na, K, Cl Créatinine TSH
En cas de symptômes sévères	Calcium Magnésium Phosphore Bilan hépatique Électrocardiogramme
En cas de dénutrition dépassant six mois	Ostéodensitométrie Œstradiol

Source : American Psychiatric Association (2000).

sont sévères, on doit vérifier les dosages sanguins du calcium, du magnésium et du phosphore, et on fait un bilan hépatique et un électrocardiogramme.

Chez les patientes amaigries et en état de dénutrition depuis plus de six mois, on doit procéder à un dosage de l'œstradiol ainsi qu'à une mesure de la densité osseuse (ostéodensitométrie) afin d'évaluer la perte de la masse osseuse, qui pourrait aller jusqu'à l'ostéoporose. L'œstradiol est le principal œstrogène sécrété par les ovaires. Outre qu'ils stimulent le développement des caractères sexuels secondaires de l'adolescente, les œstrogènes jouent un rôle majeur dans la prévention de l'ostéoporose.

ÉVALUATION PSYCHOLOGIQUE

Un professionnel fait l'évaluation psychologique de la patiente à partir d'une entrevue effectuée avec celle-ci, qu'il peut compléter par certains tests psychométriques.

L'entrevue portera d'une part sur différents aspects du comportement alimentaire tels que :

- les antécédents pondéraux ;
- l'image corporelle ;
- les rituels alimentaires ;
- les comportements de pesées ;
- les comportements boulimiques et purgatifs ;
- les antécédents du côté menstruel.

D'autre part, on abordera le développement psychoaffectif de la personne, dont les aspects suivants :

- l'histoire complète des principaux événements qui ont jalonné sa vie ;
- ses liens intrafamiliaux et interpersonnels ;
- sa capacité d'adaptation sur les plans affectif, social, sexuel et professionnel.

On accordera une attention particulière aux caractéristiques psychologiques suivantes :

– *Perfectionnisme :* La jeune femme a-t-elle tendance à être très minutieuse et à exiger une performance parfaite dans tout ce qu'elle entreprend ?
– *Exigence envers soi :* Se fixe-t-elle des objectifs très élevés, presque impossibles à atteindre ?
– *Estime de soi :* Quelle image a-t-elle d'elle-même ? A-t-elle tendance à se sous-estimer, à se déprécier ?
– *Capacité de reconnaître ses émotions :* Est-elle en contact avec son monde émotionnel ou a-t-elle tendance à le négliger, à ne pas en tenir compte ? A-t-elle besoin de consulter pour la moindre décision à prendre ? Est-elle très influençable ?
– *Capacité de définir ses besoins :* Sait-elle ce qu'elle veut, ce qu'elle désire, ce qu'elle recherche dans la vie ?
– *Capacité de respecter et de faire respecter ses limites :* Sait-elle s'arrêter lorsque la fatigue apparaît, lorsque ses demandes envers elle-même ou bien celles des autres deviennent trop exigeantes ? Est-elle capable de dire non aux demandes des autres ? Est-elle uniquement à l'écoute des autres au détriment d'elle-même ?
– *Attitude face à la maturité :* Quelles sont ses attentes et ses appréhensions face au monde de l'adulte, face à sa propre maturation ? Craint-elle les responsabilités sociales, l'engagement dans une vie intime tant sur le plan sexuel que sur le plan affectif ?
– *Vie émotionnelle :* Y a-t-il une certaine stabilité des émotions ou celles-ci changent-elles constamment, la patiente passant facilement, par exemple, de la tristesse à la colère et éprouvant des réactions émotionnelles intenses ?
– *Impulsivité :* A-t-elle tendance à réagir fortement et sans réfléchir devant chaque événement dans lequel elle se sent engagée sur le plan émotionnel ? Cette impulsivité l'amène-t-elle à faire des gestes d'automutilation ou d'autodestruction ?

Ces différents éléments accompagnent les troubles des conduites alimentaires, favorisant leur apparition ou leur maintien.

L'investigation psychologique devra aussi permettre de vérifier s'il y a présence concomitante d'autres problèmes psychiatriques tels une dépression, un trouble obsessionnel-compulsif ou une phobie sociale.

Tests psychométriques

Il existe plusieurs tests permettant d'évaluer les troubles des conduites alimentaires. Ces tests ont pour la plupart été conçus en langue anglaise. Parmi les plus utilisés, on trouve le Eating Attitude Test (EAT-26 ; Garner et Garfinkel, 1979) et le Eating Disorder Inventory (EDI ; Garner, 1991). L'annexe 5.1 (voir la page 61) présente une traduction adaptée du EAT-26 ainsi que ses modalités de correction. Ce test sert surtout au dépistage. Un score de 20 et plus indique non pas la présence d'un trouble des conduites alimentaires, mais une préoccupation exagérée pour la nourriture et la minceur. Plus le score est élevé (et particulièrement s'il est supérieur à 40), plus la probabilité d'être en présence d'anorexie ou de boulimie est grande, surtout si ce résultat est associé à un poids inférieur à la normale.

Le EDI est un test qui comporte :

- trois échelles évaluant les symptômes anorexiques ou boulimiques :
  - la recherche de la minceur,
  - les comportements boulimiques,
  - l'insatisfaction par rapport au corps ;
- cinq échelles évaluant des caractéristiques psychologiques :
  - le sentiment d'inefficacité,
  - le perfectionnisme,
  - la méfiance interpersonnelle,
  - la conscience entéroceptive,
  - la peur de la maturité ;
- trois échelles que l'on a ajoutées dans le EDI-2 :
  - l'ascétisme,
  - la régulation des impulsions,
  - l'insécurité sociale.

Le EDI-2 est un instrument plus raffiné que le EAT-26, puisque ses différentes échelles permettent d'évaluer à la fois les symptômes et certains traits psychologiques observés chez les personnes souffrant d'un trouble des conduites alimentaires. Ces précisions permettent au thérapeute d'intervenir sur des aspects psychologiques particuliers de la problématique de chaque jeune femme.

ÉVALUATION FAMILIALE

Lorsque les adolescentes et les jeunes femmes vivent dans leur famille ou en sont très proches sur le plan affectif, l'évaluation familiale s'impose. Elle permet :

- de préciser les comportements alimentaires observés ;
- d'offrir un soutien à la famille et de mieux connaître le développement psychoaffectif de l'adolescente ;
- de mettre en lumière les modes d'interaction familiaux ;
- de répondre aux questions que les membres de la famille se posent sur l'anorexie ou la boulimie ;
- d'élaborer une approche thérapeutique familiale, s'il y a lieu.

La famille peut devenir une alliée précieuse dans l'évaluation et le traitement des troubles des conduites alimentaires. Elle doit accepter de s'interroger sur son mode de fonctionnement, les rôles de chacun, l'autorité, les exigences parentales, les compromis, l'autonomie des enfants, la présence de conflits et leur gestion, les attitudes à adopter à l'égard des comportements anorexiques et boulimiques, etc.

Le but de l'évaluation n'est pas de chercher qui est responsable de la maladie, mais plutôt de mieux faire comprendre la dynamique entre la personne anorexique ou boulimique et sa famille. Parfois, certains modes interactifs jouent un rôle dans le déclenchement ou la perpétuation des symptômes. D'autres fois, le système familial est sain, mais il entretient, à l'insu de tous, des modes adaptatifs erronés qu'il faut circonscrire et chercher à modifier.

ANNEXE 5.1

Test de dépistage EAT-26

Le test qui suit permet de dépister les personnes susceptibles de souffrir d'un trouble des conduites alimentaires. À chaque question, il suffit de répondre par : toujours (T), très souvent (TS), souvent (S), quelquefois (Q), rarement (R) ou jamais (J).

	T	TS	S	Q	R	J
1. Je suis terrifiée à l'idée d'être trop grosse.	❑	❑	❑	❑	❑	❑
2. J'évite de manger quand j'ai faim.	❑	❑	❑	❑	❑	❑
3. Je suis préoccupée par la nourriture.	❑	❑	❑	❑	❑	❑
4. J'ai fait des excès alimentaires au cours desquels je pensais ne pas pouvoir m'arrêter.	❑	❑	❑	❑	❑	❑
5. Je coupe ma nourriture en petits morceaux.	❑	❑	❑	❑	❑	❑
6. Je suis consciente du contenu calorique de la nourriture que je mange.	❑	❑	❑	❑	❑	❑
7. J'évite particulièrement les aliments tels le sucre, le pain et les pommes de terre.	❑	❑	❑	❑	❑	❑
8. J'ai l'impression que les autres préféreraient que je mange davantage.	❑	❑	❑	❑	❑	❑
9. Je déteste avoir mangé.	❑	❑	❑	❑	❑	❑
10. Je me sens terriblement coupable après avoir mangé.	❑	❑	❑	❑	❑	❑
11. Je suis préoccupée par le désir d'être plus mince.	❑	❑	❑	❑	❑	❑
12. Je me pèse plusieurs fois par jour.	❑	❑	❑	❑	❑	❑
13. Je pense que je suis en train de brûler des calories quand je fais des exercices.	❑	❑	❑	❑	❑	❑
14. Les autres pensent que je suis trop mince.	❑	❑	❑	❑	❑	❑

→

15. Je suis préoccupée par l'idée d'être grassouillette.	❑	❑	❑	❑	❑	❑
16. Je prends plus de temps que les autres à manger mes repas.	❑	❑	❑	❑	❑	❑
17. J'évite de manger la nourriture qui contient du sucre.	❑	❑	❑	❑	❑	❑
18. Je mange des aliments diététiques.	❑	❑	❑	❑	❑	❑
19. J'ai l'impression que la nourriture gouverne ma vie.	❑	❑	❑	❑	❑	❑
20. Je suis disciplinée devant la nourriture.	❑	❑	❑	❑	❑	❑
21. J'ai l'impression que les autres me poussent à manger.	❑	❑	❑	❑	❑	❑
22. Je consacre trop de temps et pense trop à la nourriture.	❑	❑	❑	❑	❑	❑
23. Je ne me sens pas à l'aise après avoir mangé des sucreries.	❑	❑	❑	❑	❑	❑
24. J'aime que mon estomac soit vide.	❑	❑	❑	❑	❑	❑
25. Je déteste essayer de la nouvelle nourriture riche.	❑	❑	❑	❑	❑	❑
26. J'ai envie de vomir après les repas.	❑	❑	❑	❑	❑	❑

Source : Traduction et adaptation du *Eating Attitude Test* (Garner et Garfinkel, 1979).

CORRECTION DU TEST

Compter 3 points pour les réponses « toujours », 2 points pour les réponses « très souvent » et 1 point pour « souvent ». Un total de 20 et plus signale une préoccupation excessive pour le poids et un risque que la patiente contracte un trouble des conduites alimentaires, risque d'autant plus élevé qu'elle sera mince. Par exemple, dans une étude effectuée à Québec (Ratté, Pomerleau et Lapointe, 1989), on a noté que si une jeune fille avait un poids inférieur à 80 % du poids normal et un résultat au EAT supérieur à 20, dans 70 % des cas, on posait un diagnostic d'anorexie mentale. Dans tous les autres cas, on décelait un trouble connexe.

CHAPITRE 6

Évolution et pronostic

*Rédigé en collaboration avec Carole Ratté, M.D.**

Sommaire

* Professeure agrégée de clinique au Département de psychiatrie de l'Université Laval et responsable du Programme d'intervention et de traitement des troubles des conduites alimentaires au Centre hospitalier universitaire de Québec.

ÉVOLUTION DE L'ANOREXIE MENTALE[1]

Qu'advient-il des symptômes anorexiques ?

Les études démontrent que l'évolution des symptômes de l'anorexie mentale est plutôt favorable. Les tableaux 6.1 et 6.2 résument deux études sur l'évolution à long terme de patientes anorexiques.

L'étude de Theander (1985), réalisée en Suède, est certainement celle à laquelle on se réfère le plus souvent, principalement parce qu'elle décrit l'évolution sur une période de 25 ans de 94 jeunes femmes hospitalisées pour anorexie mentale sévère. Cette étude conclut que les symptômes anorexiques évoluent favorablement dans 77 % des cas et aboutissent à un décès chez 15 % des patientes (complications médicales ou suicide). Comme cette recherche porte sur des jeunes filles hospitalisées en raison de la gravité de leur maladie, elle comporte un biais en faveur de la morbidité. On pourrait donc s'attendre à une meilleure évolution, ou du moins à un nombre moins élevé de décès dans une population de jeunes filles anorexiques dont la maladie serait moins sévère. Cette étude a l'avantage de préciser l'évolution à très long terme. Elle révèle une tendance à l'amélioration avec les années, les cas d'évolution intermédiaires, soit ceux dans lesquels on observe à la fois une amélioration et une persistance de certains symptômes tel un poids légèrement inférieur à la normale, se transformant progressivement en guérisons. À titre d'exemple, après des périodes de 3 ans et de 24 ans, le nombre de patientes ayant connu une évolution intermédiaire passe de 32 à 1 %, et le nombre de celles qui guérissent passe de 27 à 76 %.

Une deuxième étude menée plus récemment en Californie confirme ces résultats. Il s'agit de celle de Strober, Freeman et Morrell (1997), qui portait elle aussi sur 94 jeunes femmes hospitalisées pour un problème d'anorexie mentale. Ces patientes ont été suivies de façon intense en thérapie. Encore là, le tableau 6.2 montre une évolution favorable,

1. Cette section est adaptée de Ratté et Pomerleau (1999).

TABLEAU 6.1
Évolution à long terme

Évolution	3 ans	6 ans	12 ans	24 ans
Guérison (%)	27	56	75	76
Évolution intermédiaire (%)	32	19	6	1
Évolution défavorable (%)	37	18	9	7
Décès (%)	4	5	7	11
Suicide (%)	0	2	3	5

Source: Theander (1985).

TABLEAU 6.2
Évolution sur 12 ans

Évolution	3 ans	4 ans	6 ans	10 ans	12 ans
Guérison complète (%)	9	18	59	73	77
Guérison partielle (%) [comprend les guérisons complètes]	33	55	74	87	87

Source: Strober, Freeman et Morrell (1997).

puisque 77 % d'entre elles ont guéri complètement de leurs symptômes anorexiques. On observe une guérison partielle chez 87 % des jeunes femmes, ce chiffre incluant également celles qui ont connu une guérison complète.

Cette étude a aussi démontré que le temps mis par les patientes pour guérir variait de 57 à 79 mois, selon qu'il s'agissait d'une guérison partielle ou complète. Parmi les personnes anorexiques de type restrictif, 30 % ont eu à un moment donné des comportements boulimiques, ceux-ci apparaissant dans les cinq années qui ont suivi le début du traitement. Toutes ces patientes avaient bénéficié d'un traitement à l'hôpital comportant une psychothérapie multimodale intensive (psychothérapie familiale, individuelle, de groupe), en plus d'un suivi diététique et d'une gestion nursing structurée. Selon cette étude, les symptômes anorexiques ont une évolution favorable dans le contexte d'un suivi régulier et intensif sur une période prolongée.

Ces deux recherches témoignent de l'évolution favorable, dans la plupart des cas, des symptômes anorexiques, particulièrement la perte de poids et l'arrêt des menstruations. Cependant, si on s'attarde à certaines caractéristiques des jeunes femmes guéries, on constate qu'elles ont tendance à maintenir un poids à la limite inférieure du poids normal (Sullivan et coll., 1998). Le poids idéal recherché par ces jeunes femmes, selon l'étude de Sullivan et de ses collaborateurs, correspond à un indice de masse corporelle de 19,6 (IMC normal : de 20 à 25), alors que pour un groupe témoin il est de 22,6. Cela témoigne d'une préoccupation persistante pour la minceur et d'une tendance à maintenir une « attitude anorexique ».

En plus d'examiner l'évolution de la symptomatologie anorexique, il est essentiel de s'attarder au fonctionnement global, puisque la disparition des symptômes n'équivaut pas d'emblée à une adaptation psychosociale optimale. Sullivan et ses collaborateurs (1998) ont aussi comparé le score moyen à l'échelle de fonctionnement global des personnes anorexiques à celui d'un groupe témoin. Le fonctionnement global, qui tient compte de l'adaptation sociale et professionnelle, était nettement inférieur chez les patientes anorexiques, ce qui témoigne d'un niveau d'adaptation limité tant sur le plan professionnel que sur le plan interpersonnel, et cela indépendamment de l'évolution de leur symptomatologie. En outre, il faut se rappeler qu'en plus du risque de chronicisation de 15 à 25 % que comporte l'anorexie, si les symptômes apparaissent avant la puberté, les patientes sont exposées à un retard pubertaire ou à des séquelles biologiques et psychologiques permanentes. L'évolution de Stéphanie illustre bien la malignité de cette pathologie chez certaines.

EXEMPLE CLINIQUE
Stéphanie, 28 ans

Stéphanie a 21 ans au moment de son premier contact avec le psychiatre. Elle a déjà été hospitalisée à trois reprises, et ce dans des milieux différents, pour une anorexie restrictive sévère dont les débuts remontent à ses 14 ans. D'emblée, on l'hospitalise de nouveau, car elle pèse 25 kilos, et ce séjour à l'hôpital durera six mois. Elle venait de commencer des études en actuariat qu'elle ne terminera jamais.

Stéphanie arbore constamment un petit sourire timide ; c'est une jeune femme extrêmement gentille mais tout aussi fragile, avec de multiples déficits. Elle vit toujours une relation symbiotique avec sa mère, et son individuation est peu élaborée. On note chez Stéphanie une grande rigidité, et sa vie est toute ritualisée et stéréotypée. Elle n'arrive à peu près jamais à entrer en contact avec ses émotions et à prendre conscience de ses besoins ; même ses gestes semblent inhibés. Elle garde pourtant son sourire à travers les multiples thérapies et hospitalisations ; elle paraît détachée, toujours soucieuse de bien faire. Aujourd'hui âgée de 28 ans, elle a été hospitalisée à huit reprises. Son poids est toujours bien en deçà de la normale, elle n'est menstruée que grâce à un traitement hormonal et souffre d'une ostéoporose sévère. Elle mène une vie restreinte de jeune femme sage et recluse, sans copain ni amies, mais elle réussit à avoir un petit travail.

La symptomatologie de Stéphanie évolue vers la chronicisation avec complications biologiques, tandis que la grande majorité des jeunes patientes guériront de leurs symptômes. Il faut aussi se rappeler que la plupart des études portant sur l'évolution de l'anorexie comprennent des patientes dont l'état clinique était sévère au départ, ce qui ne représente pas l'ensemble des personnes atteintes de cette maladie. Malgré cela, le taux de guérison augmente progressivement avec le temps, en général sur une période de cinq ans et plus. Le cas de Mélanie traduit bien cette évolution favorable.

EXEMPLE CLINIQUE
Mélanie, 28 ans

Lorsque nous faisons la connaissance de Mélanie, elle a 28 ans et présente tous les symptômes d'une dépression majeure ; on note dans son histoire une période d'anorexie mentale restrictive à 13 ans, qui a amené une aménorrhée de 5 ans.

Mélanie a été une enfant heureuse. Toute jeune, déjà, elle est le leader de son groupe d'amies. C'est une petite fille très sociable, très active et perfectionniste. L'épisode d'anorexie survient au moment de sa puberté, de sa métamorphose en femme, elle qui a joué jusqu'alors les garçons manqués, ce qui lui a valu une relation privilégiée et une grande complicité avec son père. Elle n'a pas été hospitalisée pour son anorexie, mais elle a connu une rémission totale de ses symptômes alimentaires grâce à un suivi en clinique externe. Par après, tout semble se passer normalement : elle est présidente de sa classe, très sportive, cela jusqu'à ses 17 ans, soit sa rencontre avec son premier ami de cœur. Elle retrouve alors cet immense malaise face à sa sexualité, celle-ci l'attirant énormément mais entraînant aussi beaucoup de culpabilité. C'est alors qu'elle se tourne vers la religion et acquiert une véritable attitude d'ascète, sans pour autant retomber dans l'anorexie. Elle entreprend son cours de médecine avec l'intention altruiste de se sacrifier pour les autres, disant avoir « fait une croix sur ses désirs ». C'est dans ce contexte qu'elle consulte pour une dépression, après avoir travaillé jusqu'à l'épuisement pendant un ou deux ans comme médecin en région. Elle est obnubilée par les devoirs qu'elle s'est fixés et se sent coupable de ne pas arriver à atteindre tous ses idéaux.

Mélanie a été suivie en psychothérapie pendant un peu plus d'un an, ce qui lui a permis d'assumer ses désirs de jeune femme, de vivre une relation intime avec un homme, de s'épanouir dans sa sexualité et de réaliser ce rêve interdit qu'elle avait depuis longtemps d'avoir un enfant. Aujourd'hui, elle est mariée, a un garçon, travaille dans un milieu qui la satisfait beaucoup et se considère comme une femme heureuse.

On trouve dans l'histoire de Mélanie un épisode d'anorexie qui s'est révélé un refus de sa sexualité. Cela rejoint l'hypothèse de Crisp (1980), qui voit l'anorexie comme une régression psychologique et physiologique devant les exigences de l'identité sexuelle féminine.

Évolution de la personne anorexique

On peut déceler certaines séquelles psychologiques résiduelles peu apparentes chez des jeunes filles anorexiques guéries de leur symptomatologie. Déjà, en 1977, Stonehill et Crisp émettaient l'hypothèse selon laquelle l'anorexie mentale correspondrait à un refus phobique des changements corporels pubertaires et de leurs implications psychosociales. Ces auteurs soutenaient leurs idées dans une étude démontrant qu'après la rémission de leurs symptômes alimentaires, les jeunes patientes connaissaient une augmentation de leur niveau d'anxiété sociale. Jeammet et ses collaborateurs (1991) décrivent ce qu'ils appellent le décalage entre l'amélioration des symptômes et l'évolution sur le plan relationnel. Pour ces chercheurs, les troubles résiduels de la personnalité constituent l'enjeu majeur de la problématique anorexique. Ainsi, dans une cohorte de 129 jeunes filles anorexiques traitées, après en moyenne 11 ans d'évolution, on a constaté que 90 % avaient retrouvé un poids normal, mais que seulement 20 % avaient un fonctionnement mental considéré comme normal. Pour Jeammet et ses collaborateurs, ce trouble de personnalité résiduel reflète les difficultés du moi à établir un système de défense stable et efficace ainsi que la fragilité de ces patientes, qui s'exprime par une très faible estime d'elles-mêmes. Ces auteurs situent au cœur de la problématique anorexique l'immense danger que représente pour elles tout investissement affectif. Le besoin de contrôle que ces jeunes filles ont déplacé sur leur corps et sur leur alimentation a comme conséquence de restreindre leur vie sur le plan relationnel. Il y a fort probablement un reflet de cette problématique dans le pourcentage très peu élevé de personnes anorexiques mariées : dans la cohorte de Jeammet et ses collaborateurs, 67 % ont toujours été célibataires, tandis que dans celle de l'équipe de Sullivan, 45 % n'ont jamais vécu en couple, comparativement à 16,3 % dans le groupe témoin. Même guéries, les jeunes femmes anorexiques ont plus de difficultés psychosexuelles que les personnes d'un groupe témoin (Herpetz-Dahlmann et coll., 1996), et le développement de la sphère professionnelle semble également entravé. Le caractère modeste de leur situation professionnelle ne cadre pas avec les promesses de leur brillante réussite scolaire (Jeammet et coll., 1991).

D'autres chercheurs ont démontré l'importance de traits obsessionnels avant, pendant et après l'épisode d'anorexie. Même chez la jeune femme anorexique guérie, on note un plus grand besoin d'exactitude et d'ordre, un perfectionnisme et une grande préoccupation pour la symétrie. Dans le même ordre d'idées, Casper (1990) a mené une étude particulièrement intéressante dans laquelle elle compare des jeunes filles anorexiques guéries à des jeunes filles sans pathologie psychiatrique. Même de 8 à 10 ans après leur traitement et la rémission de leurs symptômes, les jeunes femmes anorexiques guéries affichent un plus grand conformisme, adhèrent à des idéaux moraux plus stricts, évitent davantage les situations à risque et restreignent davantage l'expression de leurs émotions ; elles recherchent moins la nouveauté, elles sont moins souples et ont une moindre capacité d'adaptation, donc moins d'initiative et moins d'imagination. Casper résume ces caractéristiques en parlant d'une inhibition et d'une retenue tant cognitive qu'émotionnelle.

Comorbidité de l'anorexie mentale

La comorbidité correspond à la présence d'autres problématiques psychiatriques simultanées, antérieures ou postérieures à l'anorexie. Parmi les problèmes le plus fréquemment associés, on trouve le trouble obsessionnel-compulsif, la phobie sociale et surtout la dépression (Halmi, 1991 ; Rastam, Gillberg et Gillberg, 1996 ; Sullivan et coll., 1998). Les trois études citées montrent que de 60 à 96 % des jeunes filles souffrant d'anorexie mentale connaissent à un moment ou l'autre de leur évolution un épisode dépressif. Quant au trouble obsessionnel, on le rencontre chez 15 à 31 % des patientes ayant souffert à un moment ou l'autre d'anorexie mentale, bien que la prévalence de ce trouble chez les groupes témoins soit de 2 à 8 %.

Mortalité

Sullivan (1995) a réalisé une revue de 42 études. Il remarque chez les personnes anorexiques un risque de mortalité de 5,6 % par décennie. Ce risque est 12 fois plus élevé chez les jeunes femmes anorexiques de 15 à 24 ans que dans la population générale de ce même groupe d'âge. La probabilité de décès, de complications ou de suicides se situe selon les études entre 10 et 20 % après 20 à 25 ans d'évolution (Emborg, 1999; Sullivan, 1995; Theander, 1985). Ces chiffres sont alarmants et donnent à réfléchir quant à la gravité de cette maladie. Il faut toutefois se rappeler que l'on a mené ces études chez des populations de jeunes femmes hospitalisées, qui souffraient donc d'une anorexie plutôt sévère.

En conclusion, les symptômes anorexiques disparaissent dans la plupart des cas, généralement sur une période de cinq à six ans après le début du traitement. Entre la guérison et la chronicité des symptômes anorexiques, on note différentes formes d'évolution allant de l'apparition d'un trouble anxieux à des déficits persistants de la personnalité. Le traitement ne doit donc pas être réductionniste et ne viser que la disparition des symptômes.

ÉVOLUTION DE LA BOULIMIE

La boulimie étant connue depuis moins longtemps que l'anorexie, les études portent sur une plus courte période d'évolution. Les plus récentes recherches (voir le tableau 6.3) démontrent une évolution vers la guérison dans 60 à 74 % des cas sur une période de 6 à 10 ans.

Si plus des deux tiers des patientes guérissent de leurs symptômes boulimiques, on en sait très peu sur leur évolu-

TABLEAU 6.3
Évolution de la boulimie

Auteur	Nombre de patientes	Période moyenne d'observation	Amélioration	Guérison
Keel et coll. (2000)	173	10 ans	—	70%
Herzog et coll. (1999)	246	7,5 ans	25%	74%
Fichter et Quadflieg (1997)	196	6 ans	30%	60%

tion globale tant sur le plan relationnel que sur le plan de la comorbidité. On a souvent associé à la boulimie la dépression ainsi que certains troubles de la personnalité telle la personnalité limite (*borderline*), qui se traduit par une instabilité des relations interpersonnelles et une impulsivité marquée. Steiger et Stotland (1996), pour leur part, ont démontré que, bien que les patientes guérissent de leurs symptômes boulimiques, les traits de personnalité préalables demeurent stables.

FACTEURS PRONOSTIQUES

Afin de tenter de prédire l'évolution des troubles des conduites alimentaires chez une personne donnée, on a étudié certaines caractéristiques. Toutefois, on a conclu que peu d'entre elles avaient une valeur prédictive. Le tableau 6.4 énumère les différentes caractéristiques étudiées et compare leur valeur prédictive.

La durée de la maladie et les traitements antérieurs multiples sont les facteurs ayant la valeur prédictive la plus élevée. Les études les plus récentes laissent entrevoir que certaines caractéristiques psychologiques permettent aussi de prévoir l'évolution des troubles de l'alimentation. Sohlberg, Noring et Rismark (1992) ont évalué et coté la valeur prédictive des fonctions du moi telles que la régulation et le

TABLEAU 6.4
Facteurs pronostiques de l'évolution des troubles des conduites alimentaires

Facteurs étudiés	Valeur prédictive
Durée prolongée de la maladie	+++
Traitements antérieurs multiples	+++
Personnalité	++
Estime de soi	++
Impulsivité	++
Force du moi	++
Abus de drogue ou d'alcool	++
Famille dysfonctionnelle	+
Conflits avec les parents	+
Comportements boulimiques	+
Début précoce de la maladie	+/−
Sévérité de la perte de poids	+/−
Hyperactivité	−
Statut socioéconomique	−
Négation de la maladie	−
Dépression	−
Obésité	−

Légende : +++ bonne valeur prédictive
++ valeur prédictive moyenne
\+ peu de valeur prédictive
+/− Résultats contradictoires
− aucune valeur prédictive

contrôle des affects et des impulsions, les relations objectales, la régression adaptative, le fonctionnement défensif, etc. Ces auteurs ont conclu que les patientes qui demeurent préoccupées par leur poids ou leur silhouette et qui ont toujours un problème d'anorexie ou de boulimie au moment de leur suivi avaient davantage de troubles sévères du moi lors de la consultation initiale que celles qui n'ont plus de symptômes. La capacité des patientes à adapter leurs mécanismes de défense s'est avérée un facteur ayant une bonne valeur prédictive. L'impulsivité et l'abus des drogues, qui sont assez souvent associés avec la problématique de la boulimie, permettent de moins bons pronostics. Aucun de ces facteurs ne peut à lui seul déterminer avec certitude l'évolution de la maladie chez un individu donné. Il ne s'agit là que d'éléments favorables ou non.

PARTIE II

Agir

La partie II aborde les différentes approches thérapeutiques utilisées par les professionnels dans le traitement des troubles anorexiques et boulimiques. Elle décrit également certains outils dont les personnes atteintes de ces maladies peuvent se servir elles-mêmes. Ces outils leur permettent de mieux faire face à l'anorexie et à la boulimie en prenant des attitudes personnelles et interpersonnelles mieux adaptées et en acquérant des habitudes alimentaires saines. La jeune fille peut ainsi faire elle-même une véritable démarche qui viendra appuyer le travail d'un thérapeute professionnel.

Les objectifs thérapeutiques des patientes et du personnel soignant sont les suivants :

- améliorer la motivation à changer ;
- retrouver et maintenir un poids normal ;
- acquérir des habitudes alimentaires saines ;
- retrouver un équilibre psychologique ;
- corriger les complications médicales.

Ces différents aspects seront abordés dans les chapitres qui suivent. Ces derniers s'adressent spécifiquement à la personne qui souffre d'anorexie ou de boulimie. C'est d'ailleurs pourquoi le « vous » est le plus souvent utilisé. L'information que nous livrons dans cette partie sera également utile aux proches des patientes et aux intervenants ainsi qu'à toute personne préoccupée par ces problématiques.

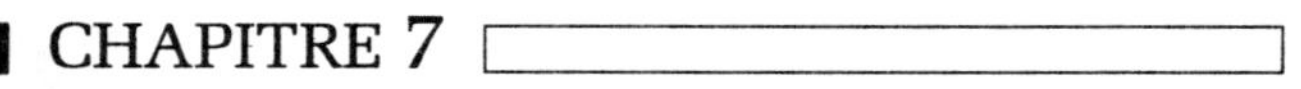

CHAPITRE 7

Processus de changement

Sommaire

Le désir de changer est la base de tout traitement. L'anorexie et la boulimie ont créé chez vous des modes d'adaptation et des habitudes alimentaires profondément ancrés dans votre style de vie. Il est possible que vous perceviez tout changement comme une menace. On peut considérer tant l'anorexie que la boulimie comme des mécanismes d'adaptation que vous avez utilisés pour faire face aux difficultés de la vie et pour vous sécuriser. Les personnes boulimiques ou anorexiques éprouvent notamment :

- de la crainte face aux défis de l'âge adulte ;
- le besoin de régresser à des phases prépubertaires de développement ;
- la peur de la maturité ;
- une faible estime de soi ;
- un sentiment d'inefficacité dans leur capacité de gérer leurs relations et leur vie personnelle ;
- de la difficulté à faire face aux tensions.

L'un ou l'autre de ces sentiments vous habite peut-être. L'anorexie et la boulimie sont devenues les solutions pathologiques de problèmes qui soulevaient une forte anxiété. Ces solutions amenant un réconfort, elles sont devenues des refuges. L'idée d'introduire un changement, de penser à abandonner certaines habitudes alimentaires devient donc une menace : vous avez peur de voir réapparaître l'anxiété et d'être démunie face aux difficultés que vous avez déjà voulu fuir. Ainsi, le premier défi consiste à envisager un changement, ce qui ne peut se faire que si vous avez bon espoir que ce changement amènera un mieux-être. C'est à la fois le rôle du thérapeute et le vôtre d'explorer votre motivation à changer.

MOTIVATION

Prochaska, DiClemente et Norcross (1992) ont décrit un « modèle motivationnel » qui permet d'évaluer le niveau d'engagement d'une personne dans un processus de changement. Ce modèle comprend cinq stades :

1. *Le stade de la précontemplation :* Il n'y a pas d'intention de changer dans un futur prévisible. La plupart du temps, la personne est inconsciente de son problème. Elle le minimise ou le nie. Ce sont les amis, la famille qui s'en aperçoivent et qui s'inquiètent. La jeune fille peut exprimer un certain désir de changer. Elle dira : « Peut-être que j'ai certains problèmes, mais il n'est pas nécessaire que je change. »
2. *Le stade de la contemplation :* La personne est consciente qu'elle a un problème et pense sérieusement à le surmonter, mais elle ne s'engage dans aucune démarche. Elle sait qu'elle doit changer mais ne se sent pas prête. Elle peut demeurer des années à ce stade et même ne jamais le dépasser. Elle dira : « Oui, c'est important que je m'en occupe, mais je le ferai plus tard. »
3. *Le stade de la préparation :* La personne veut changer en étant active ; elle a même essayé sans succès dans le passé. Elle avait réussi à raccourcir ses phases d'anorexie ou à diminuer l'intensité de ses crises de boulimie, mais elle n'avait pu persister dans cette voie. Elle est en processus de décision et a l'intention de cesser ses comportements anorexiques ou boulimiques. Elle dira : « Je suis allée trop loin ; je dois faire quelque chose prochainement. »
4. *Le stade de l'action :* La personne modifie ses façons d'agir, ses activités ou son environnement dans le but de surmonter son trouble de comportement alimentaire. Elle s'engage activement dans des changements comportementaux, ce qui lui demande du temps et une énergie considérable. Il y a donc une modification des comportements alimentaires. Elle dira : « C'est difficile, mais j'ai décidé de me battre. »
5. *Le stade du maintien :* La personne a réussi à modifier ses comportements alimentaires ; elle essaie de consolider ses gains et de prévenir les rechutes. Elle dira : « Je suis en train de gagner la bataille, je ne laisserai pas tomber. »

Si vous vous trouvez dans les deux premières phases, il est essentiel de vous interroger sur vous-même pour faire évoluer votre désir de changer. Pour ce faire, nous vous conseillons de vous arrêter à quelques reprises pendant au moins une heure et de réfléchir aux pour et aux contre de votre maladie. Demandez-vous en quoi l'anorexie ou la boulimie est votre amie et votre ennemie (Treasure, 1999). Un moyen pratique d'y arriver est d'écrire sur une feuille divisée en deux colonnes les avantages et les inconvénients que comporte cette maladie (voir l'exemple du tableau 7.1). Décrivez pour vous-même et en termes concrets ce que chacun des avantages et des inconvénients représente dans votre vie de tous les jours.

Vous remplirez la liste du tableau 7.1 en énonçant les avantages et les inconvénients qu'il y aurait à abandonner la maladie. Décrivez en particulier vos craintes relatives à la nourriture, au poids et à l'image du corps ainsi que les effets de l'abandon sur votre relation avec vous-même (voir le tableau 7.2) et avec les autres (voir le tableau 7.3).

Écrire son histoire personnelle constitue un autre outil précieux. Il faut prendre le temps de préciser les principales étapes de la vie que vous avez traversées de même que les événements qui ont marqué chacune de ces étapes. Le but

TABLEAU 7.1
Ce que m'apporte l'anorexie ou la boulimie

Avantages	**Inconvénients**
Un sentiment de sécurité	Une faiblesse physique
L'impression que j'ai le contrôle de moi-même	Des troubles de concentration
Le sentiment d'être exceptionnelle	Une mauvaise image de moi-même après les crises de boulimie
L'impression d'être forte	Une insatisfaction personnelle
Un moyen pour réduire les tensions (dans la boulimie)	Des complications médicales : anémie, ostéoporose, problèmes dentaires, œdèmes
L'attention de l'entourage	Des difficultés interpersonnelles
	De l'isolement par rapport aux autres
	Du temps perdu

TABLEAU 7.2
Conséquences de l'abandon de la maladie dans ma relation *avec moi-même*

Avantages	Inconvénients
Mon corps commencera à réparer les dégâts que j'ai provoqués pendant des années. Je serai plus en forme. Ma fatigue constante disparaîtra. J'aurai moins de nausées et moins de douleurs dans l'abdomen. Ma peau et mes muscles retrouveront leur tonus. Mes problèmes d'anémie disparaîtront, mon ossature et ma denture auront un peu de répit. Mes cheveux retrouveront vigueur et éclat. Je retrouverai ma concentration. Je pourrai enfin ne plus être obsédée par la nourriture. Je pourrai me sentir libre, ne plus redouter la prochaine crise de boulimie ou de jeûne. Je pourrai enfin vivre et jouir de la vie telle qu'elle se présente. Je serai dans une dynamique plus créatrice.	Je serai terrorisée par l'idée de manger normalement. Je ne pourrai plus me cacher derrière mes troubles alimentaires. Je ne pourrai plus m'apitoyer sur moi-même. Je me sentirai sans bouclier de protection. Je serai à l'affût de la moindre variation de poids. J'aurai peur de voir mon corps grossir hors de toute proportion. Je risque de détester ce corps qui ne fait pas ce que je lui demande. Chaque manquement risque de générer du mépris envers moi-même. Je vais devoir affronter mes limites.

est d'en arriver à avoir une meilleure compréhension de soi et des facteurs qui ont pu provoquer le développement des troubles des conduites alimentaires. Il vous sera possible dans une phase ultérieure de revenir sur ces facteurs et de travailler avec un thérapeute à mieux les comprendre et à acquérir de nouveaux modes d'adaptation.

On peut aussi utiliser un autre moyen de réflexion consistant à se projeter dans l'avenir. On tente de décrire ce que sera sa vie dans cinq ou dix ans d'abord avec le trouble

TABLEAU 7.3
Conséquences de l'abandon de la maladie dans ma relation *avec les autres*

Avantages	Inconvénients
Je serai plus ouverte à la vie affective. Je serai plus spontanée et naturelle, n'ayant plus à l'esprit la crainte de ce que les autres perçoivent. Je serai moins angoissée et plus disponible. Je me replierai moins sur moi-même. J'accepterai l'aide ou l'écoute des autres. J'accepterai éventuellement d'avoir à nouveau des relations sexuelles.	Les autres risquent de ne plus savoir comment se comporter avec moi. Mes failles risquent d'en effrayer quelques-uns. Je vais solliciter beaucoup d'affection et d'attention. Je serai peut-être moins disponible pour les autres pendant quelque temps. Je ne pourrai plus faire croire aux autres que je suis infaillible. Je n'aurai peut-être plus de barrières éthiques ou morales et il se peut que je jouisse de façon exagérée de tout ce qui passe. Je risque de perdre mon auréole et de devenir comme tout le monde, humaine.

des conduites alimentaires actuel, puis sans la maladie (Treasure, 1999). Maude (elle a 22 ans et est stagiaire dans une firme comptable) a fait cet exercice dans l'exemple qui suit.

EXEMPLE CLINIQUE
Maude, 22 ans

Ce que sera ma vie dans 10 ans, avec la maladie

J'ai 32 ans, je pèse 90 lb (42 kg) et mesure 5 pi 4 po (1,60 m). Je surveille ma nourriture et pèse tous mes aliments en comptant les calories. Je déteste les repas en groupe ou en famille. Je me sens observée lorsque je mange. D'ailleurs, je vis seule. Il m'arrive de perdre le contrôle et de faire des crises de boulimie. Je dois ensuite me faire vomir tellement je me sens mal. Et après, j'ai honte de moi. Je manque d'énergie pour faire le travail qu'on me demande et j'ai surtout peur de ne pas être à la hauteur. Je dois donc sans cesse vérifier ce que je fais pour m'assurer que je ne me suis pas trompée. On m'a fait remarquer que je ne suis pas aussi efficace que les autres. Mes patrons doutent de mes capacités. Peut-être que je ne suis pas faite pour ce travail ?

Ce que sera ma vie dans 10 ans, si je guéris

Il y a 10 ans j'ai réglé mon problème. J'ai un conjoint et un garçon de sept ans. Je suis plus sûre de moi et j'ai obtenu une promotion. Récemment, on m'a offert de devenir associée parce qu'on me fait confiance, et je m'en sens capable. Je surveille encore ma ligne, mais ce n'est pas ma principale préoccupation. J'ai appris à concilier les exigences du travail et mon rôle de conjointe et de mère. Mon conjoint se moque parfois de moi lorsque je parle de régime et il a raison. J'ai d'ailleurs de la difficulté à imaginer que les préoccupations de mes 20 ans quant à mon poids prenaient autant de place et déterminaient toute ma vie. Aujourd'hui je me sens dégagée de tout ça.

L'objectif de ces trois exercices est de s'arrêter un moment, de prendre du temps pour soi et de regarder les choses en face afin de mieux comprendre que le trouble dans lequel on vit est aussi une prison et que les quelques satisfactions qu'il procure ne valent pas le prix très élevé qu'il faut payer en échange. Les exercices permettent aussi une réflexion sur soi qui peut constituer une première étape vers le désir de changer. Il est tout à fait normal que, dans ce processus, chacune éprouve une forte ambivalence. Il s'agit de ne pas se laisser arrêter par celle-ci, car l'immobilisme est déjà une décision en faveur de la maladie. Il est possible de changer, de faire face aux difficultés avec un niveau d'anxiété supportable, et il est possible d'agir dans ce processus, de s'aider et de se faire aider.

RÔLE ET INTERVENTION DES PARENTS

Les parents doivent être en état d'alerte lorsque leur fille se montre insatisfaite de son corps au point de s'engager dans des régimes de plus en plus sévères, de maigrir jusqu'à ce qu'elle atteigne un poids inférieur à un poids normal, de s'isoler de son milieu. Certains, poussés par l'inquiétude après s'être aperçus que de la nourriture disparaissait, que des bruits de vomissements émanaient de la salle de bain, se mettent à épier leur fille et cherchent à la faire manger à tout prix, habituellement sans succès, par toutes sortes de moyens. Il est inutile d'en arriver à des affrontements soutenus sur ce point. Il est préférable d'aborder la jeune fille dans un autre contexte qu'à l'heure des repas. Il faut choisir son moment, s'être préparé et aborder le problème de façon non émotive et empathique. En outre, il faut exprimer ses craintes et ses préoccupations quant à l'état général de la jeune fille en lui disant que l'on sent qu'elle est malheureuse, plutôt que d'aborder les problèmes de perte de poids, de régime, de crises de boulimie ou de vomissements. On doit cependant maintenir une attitude ferme et ne pas hésiter à l'obliger à consulter un médecin si la perte de poids ou les crises de boulimie deviennent incontrôlées.

Les parents ne doivent pas s'attendre, à la suite d'une discussion, à voir leur fille recommencer à manger normalement. Celle-ci aura tendance à nier son problème ou à être sur la défensive. Il y a lieu alors de comprendre qu'elle se défend pour se protéger et cacher ses propres peurs. Il est important de reconnaître qu'elle a des droits et qu'il s'agit de sa propre vie, mais il faut lui expliquer que l'on ne peut rester indifférent à son sort et que l'on s'inquiète de son état, qui touche l'ensemble de la famille. Il ne s'agit pas de pousser l'affrontement jusqu'au bout ou jusqu'à la rupture de la communication. Il est préférable de s'arrêter avant, tout en ayant à l'esprit que chacun pourra réfléchir à ce qui a été dit, et de reprendre la discussion à un autre moment. Dans cette démarche, les parents pourront obtenir de l'aide auprès de leur médecin de famille et de groupes d'entraide de leur région (voir l'appendice à la page 200).

CHAPITRE 8

Approche psychoéducative

*Rédigé en collaboration avec Carole Ratté, M.D.**

Sommaire

* Professeure agrégée de clinique au Département de psychiatrie de l'Université Laval et responsable du Programme d'intervention et de traitement des troubles des conduites alimentaires au Centre hospitalier universitaire de Québec.

Dans le présent chapitre sur les aspects psychoéducatifs, nous désirons transmettre de l'information utile et pratique relative aux problèmes de l'anorexie et de la boulimie. En psychothérapie, on aide les patientes à surmonter les difficultés affectives, interpersonnelles et cognitives qui peuvent être reliées à ces problèmes (voir le chapitre 11). On utilise surtout la psychoéducation dans le traitement des comportements boulimiques (en plus des personnes chez lesquelles on a diagnostiqué un trouble boulimique, 50 % des anorexiques présentent de tels comportements). D'ailleurs, on assiste aujourd'hui à une augmentation importante de comportements boulimiques qui ne s'accompagnent pas de tous les critères diagnostiques du trouble boulimique, les crises étant moins fréquentes ou les comportements compensatoires (exercices violents, vomissements, laxatifs) ne se manifestant pas. Néanmoins, ces symptômes constituent l'expression d'une détresse importante.

L'approche psychoéducative vous aidera à mieux faire face à votre problème. Son but n'est pas de faire disparaître entièrement les crises, mais plutôt de vous amener à en diminuer la fréquence et à jouer un rôle actif dans l'évolution de vos difficultés. Vous connaîtrez mieux les mécanismes qui précipitent et perpétuent les crises. Vous trouverez ci-après 10 notions de psychoéducation utiles dans le traitement de la boulimie.

PEUR D'ENGRAISSER

L'anorexie et la boulimie sont souvent considérées, à tort, comme des problèmes de poids. En fait, elles sont plutôt la réponse à une crainte exagérée et irrationnelle de prendre du poids et de devenir obèse. Elles sont une véritable phobie qui déclenche des mécanismes d'évitement comme les autres phobies telles la peur des foules, la peur des ascenseurs, etc. Le problème se situe donc davantage dans ces mécanismes. Vous devez vous engager de façon active à contrer les conduites d'évitement de la nourriture. Il ne s'agit pas d'un problème physique d'obésité mais d'une véritable phobie et, comme dans toute difficulté de ce type, la guérison passe par l'affrontement de ce qui fait peur, en l'occurrence la nourriture, plutôt que par l'évitement. Vous devez donc vous exposer progressivement aux aliments que vous craignez.

THÉORIE DE LA RESTRICTION

La restriction alimentaire constitue un élément fondamental dans le déclenchement des crises de boulimie, comme l'indiquent les données suivantes. Au cours de la Seconde Guerre mondiale, Keys et ses collaborateurs (1950) ont fait une expérience avec des volontaires sains qu'ils ont soumis à une période de jeûne. Pendant la phase de restriction alimentaire, on a observé des changements majeurs chez les jeunes hommes : ils sont devenus obsédés par la nourriture, dépressifs, irritables, plus retirés socialement (voir le tableau 9.1 pour une liste exhaustive de leurs symptômes). Or on retrouve ces caractéristiques chez les jeunes filles souffrant d'un trouble des conduites alimentaires. De plus, lorsque ces jeunes gens recommençaient à s'alimenter, ils avaient tendance à perdre le contrôle et à manger de façon excessive, soit jusqu'à la limite de leur capacité physique, comme on le voit dans les épisodes de boulimie. En fait, il existe un cercle vicieux dans lequel la restriction alimentaire entraîne la crise de boulimie, qui elle-même engendre par la suite une période de restriction due à la crainte de prendre du poids, ce qui prépare le terrain pour une nouvelle crise de boulimie. Cette expérience a aussi démontré que lorsqu'on revenait à une alimentation normale, une plus grande proportion du « nouveau poids » était constituée de graisses. En effet, après huit mois d'un régime normal, le poids moyen de ces hommes se situait à 110 % de leur poids originel, tandis que leur masse graisseuse était à 140 % de celle du départ. La privation de nourriture a donc des effets physiques, psychologiques et comportementaux. On observe aussi ces effets dans l'anorexie et la boulimie.

Plus récemment, Polivy et Herman (1985) ont noté un phénomène de contre-régulation chez les personnes observant un régime amaigrissant. L'expérience consistait à rassembler un groupe de personnes soumises à un régime alimentaire et un groupe ne suivant aucun régime, et à leur faire prendre soit un repas léger, soit un repas riche en calories. On les laissait par la suite libres de manger à leur guise. Les participants qui n'étaient pas au régime s'ajustaient naturellement en mangeant plus après les repas légers et moins après les repas consistants. Le contraire se produisit chez les personnes au régime : après un repas léger (respectant leurs restrictions), elles mangeaient peu, mais après un repas riche en calories, comme elles avaient déjà dépassé leurs limites, elles ne pouvaient s'empêcher de manger beaucoup. C'est ce qui se passe chez les jeunes filles boulimiques : dès qu'elles ont outrepassé ce qu'elles considèrent comme acceptable comme prise de nourriture (c'est souvent très peu), elles se laissent aller à leur excès boulimique, cet écart agissant comme un élément désinhibiteur.

On voit donc que la restriction calorique joue un rôle dans le déclenchement des crises boulimiques. C'est pourquoi une rééducation nutritionnelle s'impose. Paradoxalement, la meilleure façon d'éviter des crises de boulimie est de manger normalement, « sans restrictions ».

RÉÉDUCATION NUTRITIONNELLE

Dans le traitement des troubles alimentaires, on doit considérer la nourriture non pas comme une substance nutritive mais comme une médication prescrite dans le cadre d'un processus de réadaptation comprenant trois volets : la régularisation de la prise de nourriture, la planification des repas et la désensibilisation aux aliments interdits.

Régularisation de la prise de nourriture

La prescription de repas réguliers et de collations entre les repas a précisément pour but de permettre aux patientes d'éviter cet élément déclencheur que représentent les périodes de restrictions alimentaires. Nous vous conseillons donc de prendre chaque jour trois repas réguliers et trois collations, le matin, l'après-midi et le soir. L'objectif est de supprimer la sensation de faim intense à laquelle vous avez tendance à résister jusqu'à ce qu'elle atteigne un niveau de tension intérieure d'une telle force que vous perdez le contrôle et vous précipitez dans une crise de boulimie.

Planification des repas

Cette planification régit l'horaire des repas et des collations, le choix des aliments et leur quantité. Il s'agit d'organiser les repas de façon structurée. En respectant les catégories et les portions recommandées dans le *Guide alimentaire canadien pour manger sainement* (1992), vous planifiez l'ensemble des repas de la semaine ou au moins ceux du lendemain. Vous éliminez ainsi tout risque d'achat impulsif de nourriture. Vous devez préciser les aliments que vous prendrez à chaque repas ainsi que les portions, non pas en pesant la nourriture mais en visualisant des portions moyennes. Vous évitez ainsi de vous exposer à des quantités non contrôlées de nourriture. Vous préparerez ces aliments la veille plutôt que juste avant les repas, au moment où vous avez très faim. En prenant votre nourriture quotidienne de façon structurée, vous supprimez les périodes de faim intense tout comme les sensations de ballonnement causées par l'ingestion de grandes quantités d'aliments en une seule fois.

Désensibilisation aux aliments interdits

Plusieurs jeunes femmes ont tendance à se priver de certains aliments qui, s'ils sont absorbés, sont susceptibles de provoquer une crise de boulimie. Plus la période de privation sera longue, plus vous aurez tendance à rechercher ces aliments déclencheurs de crises. Il est donc préférable de les introduire progressivement dans votre alimentation plutôt que de les éviter. Pour ce faire, vous devez rédiger la liste des aliments que vous vous interdisez (voir le tableau 8.1) ainsi que celle des aliments dont vous abusez (voir le tableau 8.2). Cela permet souvent de constater à quel point

TABLEAU 8.1
Les aliments que j'évite de manger

Fréquemment	Presque tout le temps
Popcorn	Pizza
Raisins secs	Croustilles (chips)
Frites	Gâteau
Poulet	Chocolat
Ailes de poulet	Tarte
Pommes de terre	Crème glacée
	Pain
	Gaufres
	Biscuits
	Pâtisseries

TABLEAU 8.2
Les aliments dont j'abuse au cours d'une crise de boulimie

Fréquemment	Presque chaque fois
Sous-marins	Pain
Ailes de poulet	Pâtisseries
Sandwiches	Chocolat
Fromage	Biscuits
Gâteau	Croustilles (chips)
Pizza	Gaufres
	Crème glacée

ces deux groupes se ressemblent. Il faut ensuite classer les aliments des listes selon leur cote de restriction, ce qui permet de les réintroduire un à un en commençant par ceux qui soulèvent le moins d'appréhension et en choisissant le moment le plus propice de la journée, soit celui où il y a moins de risque de provoquer une crise de boulimie. Le chapitre 10 explique de façon détaillée les différents aspects de la rééducation nutritionnelle.

ÉLÉMENTS DE PHYSIOLOGIE DIGESTIVE

Quelques notions simples sur la physiologie de la digestion vous seront utiles pour comprendre certains symptômes. D'abord, comme votre alimentation est chaotique, oscillant entre la restriction et l'excès, votre digestion se fait souvent au ralenti. Un repas, même minime, peut entraîner une impression de plénitude gastrique et de ballonnement, des sensations désagréables qui vous ramènent souvent à l'esprit cette pensée : « Je suis grosse. » Ce problème, dont la cause n'est pas une trop grande prise de nourriture mais un mauvais fonctionnement du tube digestif dû à la restriction, se traite par une alimentation normale et régulière. Ces sensations disparaîtront petit à petit.

La prise de laxatifs, les vomissements et les autres comportements compensatoires peuvent mener à des états de déshydratation puis à des phénomènes rebonds de rétention d'eau, d'où des changements rapides de poids vécus avec inquiétude. Les augmentations rapides de poids ne sont pas des gains réels, mais plutôt des phénomènes de rétention d'eau temporaires.

THÉORIE DU POIDS NATUREL

Chacun a un poids naturel prédéterminé biologiquement et génétiquement. En mangeant et en faisant de l'exercice normalement, une personne peut atteindre ce poids à un ou deux kilos près. Les fluctuations sont normales, mais des écarts importants par rapport à ce poids déclencheront des mécanismes compensatoires. C'est ainsi que les personnes dont le poids est souvent inférieur à leur poids naturel éprouveront le besoin impérieux de manger tant qu'elles n'auront pas atteint ce poids. Certains individus de même taille auront des poids naturels différents selon la grosseur de leur ossature, notamment. La théorie du poids naturel peut se comparer à celle de l'homéostasie, ou stabilisation interne, selon laquelle le corps cherche à s'ajuster pour compenser toute perturbation. Ici, la stabilité correspond précisément à ce poids prédéterminé, et les dépenses énergétiques quotidiennes semblent dépendre de ce processus homéostatique (Keesy, 1995). Il existe des mécanismes compensatoires qui résistent activement aux variations de poids. Si ce dernier est sous son niveau naturel, ces mécanismes favoriseront la reprise de poids en poussant la personne à augmenter sa prise de nourriture et en adaptant le métabolisme. Ce processus sera d'autant plus vigoureux que vous serez éloignée de votre poids naturel. Il est donc préférable de s'adapter à celui-ci plutôt que de passer sa vie à dépenser de l'énergie pour le combattre. Cette théorie permet de mieux comprendre pourquoi les personnes qui suivent des régimes amaigrissants ne réussissent pas à long terme à se maintenir à un niveau inférieur à leur poids naturel ; elles ont même tendance à le dépasser (à cause du phénomène du yo-yo). Vous n'aurez pas tendance à aller au-delà de votre poids naturel si vous vous alimentez normalement.

INEFFICACITÉ DES COMPORTEMENTS COMPENSATOIRES

La plupart des crises de boulimie sont suivies de comportements compensatoires : vomissements, utilisation de laxatifs ou exercices physiques excessifs. Ces comportements peuvent aussi apparaître chez des personnes qui s'alimentent normalement et qui craignent de prendre du poids. Ce que l'on désire, c'est perdre les calories que l'on a absorbées. Or, ces comportements sont peu efficaces (Garner, 1997 ; Mitchell et coll., 1987). Les vomissements ne permettent de vider qu'une partie de l'estomac et non la totalité, ce qui correspond à 30 à 50 % des calories ingérées. De plus, le tube digestif s'adaptant, l'absorption de la nourriture se fera d'autant plus rapidement que les vomissements seront fréquents.

Les laxatifs, qui agissent surtout sur le gros intestin, alors que la nourriture est en majeure partie absorbée dans l'intestin grêle, n'entraînent aucune perte calorique. Bien sûr, le pèse-personne peut enregistrer une perte de poids après l'utilisation de laxatifs, mais cette dernière n'est due qu'à une perte d'eau, qui, du reste, est transitoire, car l'organisme s'efforce de compenser rapidement cette déshydratation.

Les exercices physiques violents entraînent une inflammation musculaire de même qu'une détérioration de la masse musculaire étant donné l'état de dénutrition du sujet. La masse musculaire diminuant, le métabolisme de base s'abaisse aussi et, finalement, on obtient l'effet contraire de celui qu'on recherchait : un même exercice entraîne une dépense moindre de calories.

COMPLICATIONS MÉDICALES

Les risques de complications médicales associées à la boulimie et, notamment, aux comportements purgatifs sont considérables. Ces complications sont énumérées dans le tableau 8.3.

TABLEAU 8.3
Complications médicales

Vomissements	• Gonflement des glandes salivaires (joues d'écureuil) • Érosion de l'émail des dents • Lacérations et inflammation de l'œsophage • Baisse du taux de potassium entraînant des troubles du rythme cardiaque
Prise de laxatifs	• Déshydratation • Atonie intestinale engendrant une constipation sévère • Baisse du taux de sodium entraînant des convulsions et une insuffisance rénale • Œdème
Restrictions alimentaires	• Anémie • Hypoprotéinémie (baisse des protéines sanguines) • Irrégularité ou arrêt des menstruations • Baisse de la tension artérielle • Ralentissement cardiaque • Baisse de la densité minérale osseuse • Baisse du taux de calcium provoquant de l'ostéoporose

RECONNAISSANCE DES STIMULI DÉCLENCHEURS ET ACQUISITION DE COMPORTEMENTS DE RECHANGE

La plupart du temps, les comportements boulimiques sont déclenchés par différents stimuli physiques ou émotionnels. Sur le plan physique, on a vu que la restriction alimentaire et la faim sont de puissants déclencheurs de crise. Sur le plan émotionnel, on peut préciser les stimuli en cause en tenant un journal dans lequel on décrit chaque crise et on analyse les situations qui l'ont précédée (voir le tableau 8.4).

TABLEAU 8.4
Journal alimentaire

Heure Lieu	Aliments et liquides consommés	B	V	L	E	Pensées, émotions, contexte interpersonnel

Légende : B : Boulimie V : Vomissements L : Laxatifs E : Exercices physiques

Source : Adapté de Garner (1997).

On verra souvent que des émotions tels l'ennui, la solitude, la colère, la frustration, l'indécision précèdent les crises. On peut cerner ces stimuli en faisant une réflexion personnelle. Ces émotions sont des sources de tension et elles peuvent provoquer une crise de boulimie. Cette dernière agira comme un mécanisme qui réduira les tensions ou anesthésiera les émotions. Toute situation de détresse peut ainsi devenir un agent déclencheur, d'où l'importance d'apprendre à adopter des comportements de rechange. Par exemple, si l'ennui ou la solitude constituent pour vous des facteurs déclencheurs, vous pouvez communiquer avec une personne qui vous est proche chaque fois que ces émotions seront intolérables. Vous devriez choisir à l'avance un ou une amie à qui vous pouvez téléphoner et avec qui vous pouvez discuter.

Il existe d'autres stratégies d'adaptation (Davis et coll., 1989; Johnson, Connors et Tobin, 1987) que les exemples suivants illustrent:

- Retarder de 20 à 30 minutes la crise en écoutant ses morceaux de musique préférés, en prenant un long bain ou en sortant faire une promenade;
- Analyser l'état émotionnel dans lequel on se trouve en le décrivant dans son journal personnel et en expliquant les circonstances qui l'ont provoqué;
- Relever les principaux problèmes de la journée et y faire face en utilisant une méthode de résolution de problèmes comprenant les étapes suivantes:
  - définir le problème par écrit en décrivant la situation qui a créé des difficultés,
  - énumérer toutes les solutions possibles,
  - analyser les conséquences des solutions en écrivant le pour ou le contre de chacune d'elles,
  - faire un choix.

Il est important que vous élaboriez ces stratégies, et cela avec l'aide d'un thérapeute, en prenant le temps d'évaluer ce qui vous convient le mieux selon vos intérêts et votre milieu de vie.

JOURNAL QUOTIDIEN

La tenue d'un journal alimentaire est particulièrement utile (Davis et coll., 1989; Garner, 1997; Wilson, 1997). Vous décrivez chaque jour très précisément la quantité et le type d'aliments que vous avez mangés, et cela aussitôt que possible après les repas. Inscrivez les moments où vous vous êtes abstenue de manger alors que vous auriez pu le faire. Vous devez en plus noter les crises de boulimie, l'utilisation de laxatifs ou de diurétiques, les vomissements provoqués et tout autre comportement compensatoire. Vous expliquerez dans le journal le contexte émotionnel et interpersonnel dans lequel vous avez eu ces comportements ainsi que les pensées et les sentiments qui vous habitaient à ce moment. (Voir le tableau 8.4.)

GESTION DES CRISES

Les différentes mesures qui précèdent ont pour but non pas d'enrayer toutes les crises mais d'en diminuer l'intensité et la fréquence. Aussi est-il important, lorsque les crises surviennent, de pouvoir les gérer. Johnson, Connors et Tobin (1987) ont décrit certaines stratégies que l'on peut appliquer avant ou après la crise.

Avant la crise

Il faut mettre les choses en perspective, ne pas se laisser noyer dans les émotions et garder un contrôle rationnel. Le besoin irrésistible de faire une crise de boulimie doit en venir à représenter un signal indiquant que l'on doit se mettre à l'écoute de ses sentiments. Il s'agit donc de substituer à la crise de boulimie une tentative pour nommer les émotions en cause et trouver des comportements de rechange. On aura pris soin de dresser à l'avance une liste de ces comportements.

Après la crise

Il est encore temps de briser la chaîne associative en refusant de se faire vomir. Comme les vomissements perpétuent cette chaîne, ne pas les utiliser après la boulimie est déjà une victoire. Voici comment y parvenir. Il existe une période cruciale d'environ une heure après la crise pendant laquelle le désir de se faire vomir est particulièrement intense. Il s'agit donc de ne pas rester seule pendant cette période. Il faut téléphoner à une amie, rendre visite à un proche ou, à tout le moins, sortir de chez soi. Plus on gagnera de temps, moins le désir de se faire vomir sera pressant.

Il est important de prendre conscience des pensées et des sentiments qui suivent habituellement les vomissements et qui perpétuent le cycle de la boulimie : « Ma crise d'aujourd'hui annule tous mes efforts », « Je suis totalement incapable de me contrôler et je ne m'en sortirai jamais. » On peut changer ce style de pensée en envisageant son problème au jour le jour. Il est préférable de se dire : « J'ai rechuté aujourd'hui, mais j'essaie de nouveau dès maintenant de ne pas faire de boulimie ou de ne pas me faire vomir. » Chaque jour est un jour nouveau, chaque repas est un nouveau repas (Steiger, Lehoux et Gauvin, 1999). On ne met pas l'accent sur l'absence totale de crises mais sur le contrôle du nombre de crises. Il est important que l'on ne saute pas le repas qui suit la crise, car cela constituera un stimulus précipitant une nouvelle crise.

~

Ces notions psychoéducatives (elles sont résumées dans l'encadré 8.1) vous aideront à corriger certaines croyances relatives à différents symptômes. Une meilleure connaissance des mécanismes en cause dans la précipitation et la perpétuation des crises s'avère un outil efficace qui permet des améliorations sensibles. Encore une fois, l'objectif de la psychoéducation n'est pas de faire disparaître complètement vos crises mais plutôt de vous enseigner à jouer un rôle actif pour influencer l'évolution de vos difficultés.

ENCADRÉ 8.1
Conseils pour les boulimiques

Vous souffrez de crises de boulimie. Voici de l'information qui vous permettra de mieux comprendre ce comportement et d'y faire face. Le but à atteindre n'est pas l'arrêt des crises mais la diminution de leur fréquence.

- Vous souffrez d'une peur irrationnelle de prendre du poids et donc de manger. Vous cherchez à éviter la nourriture, vous vous privez, et cette restriction devient un puissant déclencheur de crises de boulimie. Vous devez affronter votre peur plutôt que de la fuir.
- En prenant trois repas réguliers et trois collations par jour, vous diminuez l'intensité de votre besoin de faire des crises.
- Planifiez et préparez la veille vos repas et vos collations en précisant les horaires des repas, la quantité de nourriture et les aliments que vous allez manger.
- N'évitez pas de catégories d'aliments, mais consommez-les en quantité normale.
- Votre poids naturel est prédéterminé biogénétiquement. Malgré des restrictions sévères, des mécanismes physiologiques de compensation vous ramèneront à ce poids et vous feront peut-être même le dépasser.
- La sensation de ballonnement après un repas est due à la lenteur de la digestion, causée par les restrictions alimentaires.
- Les vomissements, l'utilisation de laxatifs et l'exercice intense ne sont pas des moyens efficaces pour maigrir et maintenir votre poids à ce niveau.
- Les vomissements causent des ulcérations de l'œsophage et l'érosion de l'émail des dents ainsi que des troubles électrolytiques qui entraînent des problèmes cardiaques.
- Tenez un journal de vos crises de boulimie en les décrivant et en précisant les émotions et les situations qui les précèdent. Cela vous permettra de mieux vous connaître et d'élaborer d'autres mécanismes d'adaptation que les crises de boulimie.
- Gérez vos crises au jour le jour.

Source : Pomerleau et Ratté (2000).

CHAPITRE 9

Retrouver et maintenir un poids normal

Sommaire

CONSÉQUENCES D'UN JEÛNE PROLONGÉ

Il est intéressant de connaître les conséquences d'un jeûne prolongé pour toute personne saine qui se soumettrait à une restriction alimentaire sévère sans souffrir d'anorexie. Cela permet de comprendre que certains des symptômes reliés à l'anorexie mentale sont en fait les conséquences d'un tel jeûne. L'étude de Keys et ses collaborateurs (1950), dont nous avons parlé brièvement dans le chapitre précédent (voir la page 92), a été réalisée pendant la Seconde Guerre mondiale au Minnesota. Elle porte sur des personnes saines qui se sont soumises volontairement, pendant plusieurs mois, à une restriction alimentaire sévère. Cet état de semi-privation a fait apparaître chez les sujets des symptômes semblables à ceux que l'on trouve chez les jeunes femmes anorexiques. Le tableau 9.1 énumère les effets psychologiques, comportementaux et physiologiques de ce jeûne.

Au cours de cette expérience (menée auprès de volontaires sains), la nourriture est devenue la préoccupation centrale des sujets. Ces derniers avaient tendance à cacher de la nourriture, à voler des objets, à en accumuler d'autres, à abuser de thé ou de café, ou à boire beaucoup. Les participants avaient aussi tendance à s'isoler et leur personnalité se modifiait à mesure que se prolongeait le jeûne. Lorsqu'on a recommencé à les nourrir normalement, ils ont craint de perdre le contrôle et de manger en trop grande quantité, comportement que l'on retrouve fréquemment chez les personnes présentant des troubles anorexiques. On constate donc que si l'anorexie possède ses caractéristiques propres, les restrictions alimentaires sévères provoquent elles-mêmes d'autres symptômes qui l'aggravent.

L'interruption du jeûne entraîne la disparition progressive de ces symptômes, qui étaient en fait la conséquence de ce jeûne. L'étude de Keys et ses collaborateurs, qui date de nombreuses années, demeure malgré tout une excellente démonstration de l'influence du jeûne et de l'importance de la reprise d'une alimentation normale dans le traitement de certains des symptômes de l'anorexie.

TABLEAU 9.1
Symptômes liés au jeûne

Effets psychologiques et comportementaux
• Intérêt démesuré pour la nourriture • Changement des habitudes alimentaires (consommation d'épices, de café, de gomme à mâcher) • Attitude compulsive et obsessionnelle plus marquée • Changements émotionnels : variation de l'humeur, anxiété, dépression • Désintéressement à l'égard de sa santé • Retrait social • Diminution de la libido • Consommation excessive d'aliments quand l'occasion se présente • Peur de perdre le contrôle lorsqu'il y a reprise de l'alimentation • Changement de personnalité
Effets physiologiques
• Troubles du sommeil • Problèmes gastro-intestinaux : constipation, ballonnement • Hypothermie • Ralentissement du rythme cardiaque • Aménorrhée • Perte de cheveux, apparition de poils lanugineux (duvet) • Œdème

Source : Keys et coll. (1950).

REPRISE D'UNE ALIMENTATION NORMALE

Il est certain que la reprise de l'alimentation sera source d'anxiété ; il faudra donc que vous soyez grandement motivée et appuyée par un thérapeute compétent en qui vous avez confiance. Cette démarche fera l'objet d'un contrat, éventuellement écrit, entre vous et le professionnel de la santé. Elle comprend les étapes suivantes :

- *Fixer le poids idéal à atteindre :* Il s'agit ici de préciser le poids qui vous convient le mieux. On déterminera ce poids à partir de tables de poids (voir le tableau 1.1 et la figure 1.1 aux pages 7 et 8) tout en tenant compte de votre histoire pondérale. Il est essentiel que vous vous entendiez avec votre thérapeute sur votre poids cible ou poids santé désiré ;
- *Préciser la prise de poids hebdomadaire visée :* Au cours d'un suivi externe, on peut viser idéalement une prise de poids de 250 à 500 grammes (1 livre) par semaine chez des personnes dont le poids est inférieur à 85 % du poids normal. Afin de mieux surveiller cette prise de poids, on vous demandera de faire un graphique sur lequel vous reporterez votre poids hebdomadaire (voir la figure 9.1). Auparavant, vous tracerez la courbe précisant la prise de poids que vous visez. Vous inscrirez vous-même sur ce graphique votre poids hebdomadaire, ce qui vous permettra de suivre votre évolution et de la comparer au poids attendu. L'exemple de la figure 9.1 concerne une jeune femme pesant 45 kilos (99 lb) dont

FIGURE 9.1
Progression du poids

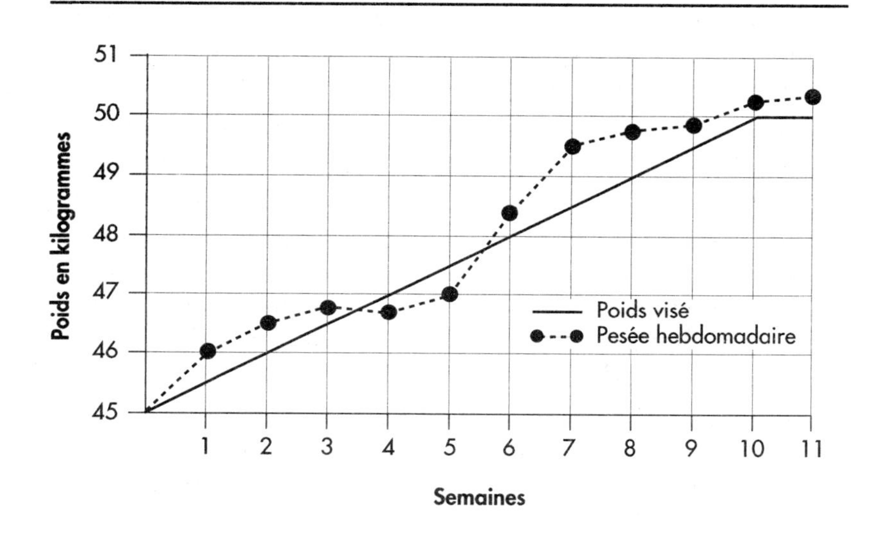

on a fixé le poids idéal à 50 kilos (110 lb). Elle doit atteindre cet objectif en 10 semaines et maintenir son poids par la suite ;

- *Prescrire une diète fixant le nombre de calories quotidien :* Le nutritionniste évaluera les besoins énergétiques et précisera le nombre de calories à absorber quotidiennement. Il pourra vous aider en fixant des objectifs visant à augmenter graduellement, à un rythme acceptable, vos apports caloriques ;
- *Tenir un journal quotidien :* Cet outil est particulièrement important, car c'est le reflet de vos efforts et de vos difficultés en ce qui a trait à la correction de vos habitudes alimentaires. Notez dans le journal la description de vos repas et leur horaire, les exercices physiques que vous avez faits et les comportements boulimiques ou purgatifs auxquels vous avez eu recours. Le journal fera l'objet d'une évaluation et d'une discussion hebdomadaires avec le nutritionniste ;
- *Restreindre les activités physiques :* Réduire vos activités physiques est tout aussi important qu'augmenter vos apports alimentaires. Vous devez être très attentive à cet aspect, car le fait de manger plus risque de susciter la tentation de marcher davantage ou de faire plus d'exercice physique. Les exercices que vous aurez faits dans la journée, y compris la marche, feront donc l'objet de la même attention que vos repas et devront être inscrits dans votre journal ;
- *Supprimer progressivement les comportements purgatifs :* Vous devez viser à cesser tous les comportements purgatifs, qu'il s'agisse de vomissements provoqués ou de l'utilisation de laxatifs et de diurétiques. Ces comportements sont d'ailleurs inutiles, comme nous l'avons expliqué dans le chapitre 8. Évidemment, cela ne se fait pas en quelques jours, mais cet objectif fera l'objet d'un suivi systématique avec votre thérapeute ;
- *Se peser hebdomadairement :* Votre médecin procédera chaque semaine, au début de la rencontre, à une pesée en s'assurant que vous ne portez pas de vêtements trop lourds ni d'objets qui augmenteraient artificiellement

votre poids. Il pourra vous demander d'uriner avant la pesée. De votre côté, vous devriez éviter de vous peser plus d'une fois par semaine.

Le retour au poids normal doit s'accompagner de l'acquisition d'habitudes alimentaires saines. Nous discuterons de cette approche thérapeutique dans le chapitre suivant. Il est essentiel que vous preniez trois repas et trois collations par jour à des heures fixes, que les quantités et les menus soient déterminés à l'avance et que vous absorbiez des aliments des différentes catégories : produits céréaliers, légumes et fruits, produits laitiers, viandes et « aliments plaisir ». Avec le temps, vous devriez en arriver à ne plus éviter de catégorie.

Pendant la phase où vous contracterez des habitudes alimentaires saines, essayez d'être plus attentive à vos sensations de faim et de satiété. Les jeunes filles ayant votre problème ont souvent de la difficulté à bien percevoir et à bien interpréter ces sensations.

La reprise de l'alimentation sera sûrement anxiogène pour vous, et vous aurez besoin d'être rassurée sur certains points tels les ballonnements après les repas, les douleurs abdominales et, en particulier, la crainte de perdre le contrôle de la prise de poids. Nous donnons des explications sur ces différentes manifestations dans le chapitre 8. N'hésitez pas à en parler à votre médecin ou à votre nutritionniste. Ceux-ci devraient d'ailleurs continuer le suivi même une fois le poids visé atteint dans le but de vous aider à le maintenir et à poursuivre la normalisation de vos habitudes alimentaires.

CHAPITRE 10

Acquérir des habitudes alimentaires saines

*Audrey Brassard, Dt. P.**

Sommaire

---

* Nutritionniste pour le Programme d'intervention et de traitement des troubles des conduites alimentaires au Centre hospitalier universitaire de Québec.

La normalisation de l'alimentation et des comportements alimentaires est un volet essentiel du traitement des troubles des conduites alimentaires. La psychothérapie ne peut être pleinement efficace si les restrictions alimentaires se perpétuent. Pour que le fait de manger devienne un aspect normal et agréable de la vie, vous devez adopter une alimentation variée, équilibrée et sans aucune restriction. Il vous sera impossible de vous libérer de l'anorexie ou de la boulimie en étant au régime. La réadaptation nutritionnelle revêt donc une importance capitale dans le traitement de ces troubles.

NOTRE CORPS ET SES BESOINS

Une alimentation saine et variée doit pouvoir répondre à tous les besoins de votre corps, qu'ils soient d'ordre physique, psychologique ou social.

Besoin physique

Ce besoin est en général bien reconnu. Vous avez besoin d'énergie, de protéines, de glucides, de lipides, de vitamines et de minéraux pour vous assurer un bon état de santé général, un niveau d'énergie adéquat et un maximum de concentration. Les déficiences en macronutriments (protéines, lipides et glucides) et en micronutriments (vitamines et minéraux) provoquées par un apport insuffisant ont des conséquences néfastes sur votre santé (anémie, fatigue, problèmes cutanés, etc.). Le principal outil pour vous aider à répondre à votre besoin physique est le *Guide alimentaire canadien pour manger sainement* (GAC) [1992]. Il a été conçu pour répondre aux besoins physiques des Canadiens de 4 à 65 ans. La plupart des régimes amaigrissants tentent de combler les besoins physiques, mais ce n'est malheureusement pas une caractéristique commune à tous.

Besoin psychologique

Ce besoin est souvent ignoré ou mis volontairement de côté. Pourtant, l'être humain a fondamentalement besoin d'avoir du plaisir en mangeant. Certains aliments ne servent d'ailleurs qu'à se faire plaisir (sucreries, desserts, etc.). Le plaisir est sans doute l'aspect de l'alimentation le plus négligé dans les régimes amaigrissants ainsi que dans les messages d'éducation nutritionnelle diffusés dans les médias. La personne n'aurait pas le droit de manger les aliments qu'elle aime parce qu'il ne s'agirait que de gourmandises qui pourraient nuire à sa santé. Voilà une excellente façon de nier l'existence de notre besoin psychologique. Si vous refusez d'inclure les « aliments plaisir » dans votre menu quotidien, la frustration, l'agressivité et parfois les compulsions ou les crises de boulimie peuvent survenir. D'ailleurs, les aliments consommés au cours d'une crise de boulimie sont généralement les aliments plaisir que la personne s'interdit. Il est donc essentiel de les inclure dans l'alimentation de tous les jours pour répondre au besoin de plaisir, bien réel. Si vous respectez ce besoin psychologique, la frustration, l'obsession et les crises diminueront. Les régimes réussissent rarement à long terme. Comme ils ne tiennent pas compte des besoins psychologiques en ce qui a trait au plaisir, les gens finissent par les abandonner.

Besoin social

Pour que votre alimentation devienne un aspect normal de la vie, vous devez réapprivoiser son côté social ; vous ne pouvez pas toujours manger seule. Éviter la compagnie à table entraîne isolement et frustration, car dans plusieurs rencontres entre amis ou en famille, dans plusieurs événements sociaux (mariages, fêtes de Noël, de Pâques, etc.), l'alimentation tient une place importante. On n'a pas nécessairement une grande faim dans ces situations, et celles-ci ne coïncident pas toujours avec l'heure habituelle des repas (dans un contexte social, le besoin physique n'est pas privilégié). Les règles entourant votre alimentation se doivent donc d'être souples en ce qui concerne les heures des repas et la nature des aliments. Les règles rigides entretiennent l'obsession et peuvent entraîner les compulsions ou les crises de boulimie. Le non-respect du besoin social est une autre raison qui explique pourquoi les régimes amaigrissants ne peuvent fonctionner à long terme. Ils sont pratiquement incompatibles avec la vraie vie ; en suivant un régime strict, on ne peut pas manger en toute spontanéité avec qui on veut et où on veut.

Une alimentation *saine, variée* et *équilibrée* doit obligatoirement respecter les besoins physique, psychologique et social de l'individu. La crise est souvent due au non-respect d'un de ces besoins (ou des trois). La personne qui mange en quantité insuffisante (besoin physique), qui se prive de tous les desserts (besoin psychologique) et qui refuse systématiquement toutes les invitations à souper (besoin social) vivra sans aucun doute une crise de boulimie ou encore le repliement sur soi-même, l'agressivité, l'isolement. Il faut donc réapprendre à manger *sainement*, ce qui implique la consommation des aliments que vous aimez, avec les gens que vous aimez.

ALIMENTATION SAINE, VARIÉE ET ÉQUILIBRÉE

Comment arriver à manger sainement, sans restrictions et sans excès, tout en conservant son poids santé ? En respectant cinq règles.

Manger trois repas et au moins deux collations par jour

Pour réussir à bien maîtriser votre faim et à optimiser votre niveau d'énergie, vous avez besoin de trois repas par jour à heures fixes. La personne souffrant d'un trouble des conduites alimentaires se plaindra souvent d'un manque d'appétit ou d'une faim irrépressible. La prise des trois repas à heures fixes aide à rétablir le fonctionnement des centres cérébraux de la faim et de la satiété. Peu importe si l'appétit est présent ou non ; la règle des trois repas par jour est immuable.

Les collations vous aident à maintenir votre niveau d'énergie ; plus l'apport énergétique est fractionné dans la journée, meilleure est l'énergie. De plus, les collations prises à heures fixes sont un outil précieux pour diminuer la fréquence des crises de boulimie, car elles vous évitent une faim trop intense aux repas (cette dernière est souvent un élément déclencheur des crises). Comme les crises de boulimie surviennent plus souvent en soirée, la collation après le souper (approximativement deux heures et demie après le repas) peut permettre de les éviter. La collation pourra vous aider si elle est bien planifiée : vous devez choisir à l'avance l'aliment que vous mangerez et à quelle heure vous le prendrez. Mieux vous planifierez votre collation, plus elle vous aidera à éviter une crise de boulimie. Prenez soin de choisir un aliment agréable et nourrissant pour la collation. Un fruit ou un légume n'est pas un très bon choix ; un yogourt, un muffin, une barre de céréales ou un petit bol de céréales risquent de mieux vous protéger de l'orgie alimentaire.

Cesser le décompte des calories

Le choix de vos aliments ne devrait jamais être fondé sur le nombre de calories. Les calories vous indiquent la quantité d'énergie que vous procure un aliment, mais elles ne vous précisent pas s'il s'agit d'une énergie de courte durée ou de longue durée. Un aliment contenant peu de calories n'est pas toujours le meilleur choix santé ; plusieurs autres facteurs sont importants. Le choix de vos aliments devrait plutôt être basé sur la variété et sur vos goûts personnels. De plus, le calcul des calories entretient l'obsession pour les régimes, la privation et la culpabilité. Il vous empêche de respecter vos goûts personnels et de vous libérer des troubles des conduites alimentaires.

Éliminer les produits allégés

Les personnes souffrant d'un trouble des conduites alimentaires sont friandes des produits allégés, qu'elles utilisent souvent dans le but de diminuer leur sentiment de culpabilité. Vous ne devriez pas consommer ce type d'aliments, car ils créent une fausse impression de sécurité et, conséquemment, une peur à l'égard des aliments ordinaires. De plus, les aliments légers perpétuent l'obsession de la privation, des régimes et du calcul des calories et, de ce fait, entretiennent les troubles des conduites alimentaires. Pour manger sainement, vous devez choisir les aliments les plus naturels possible, sans pour autant passer d'un extrême à l'autre et ne manger que de la nourriture provenant des boutiques de produits naturels !

Réintroduire les aliments interdits

Il est essentiel d'éliminer progressivement la notion de « bons » et de « mauvais » aliments. Les « mauvais » aliments sont ceux que l'on considère comme « engraissants ». On les élimine de l'alimentation sans considérer leur valeur gustative ni nutritionnelle (il est important de noter qu'ils sont souvent consommés au cours d'une crise de boulimie). Les aliments injustement interdits sont généralement les graisses, les sucres, les viandes et les aliments consommés en guise de collation. Les « bons » aliments, considérés comme sécuritaires, comprennent généralement les légumes, les fruits et les plats allégés. Il arrive que les personnes souffrant d'un trouble des conduites alimentaires considèrent comme normale une consommation excessive de ces « bons » aliments. Cela n'est aucunement le cas. Il faut absolument briser les règles des « bons » et des « mauvais » aliments. La rigidité fait obstacle à une alimentation équilibrée et, par conséquent, perpétue la restriction alimentaire.

Utiliser le *Guide alimentaire canadien pour manger sainement* (GAC)

Le GAC est le principal outil du bien manger. Il sépare les aliments en quatre groupes (produits céréaliers, légumes et fruits, produits laitiers, viandes et substituts), mais il prévoit aussi un cinquième groupe, les « autres aliments », qui incluent tous les aliments n'appartenant pas aux quatre groupes de base (voir le tableau 10.1).

TABLEAU 10.1
Guide alimentaire canadien

Groupe alimentaire	**Description d'une portion**	**Nombre de portions quotidiennes***
1. Produits céréaliers	1 tranche de pain 30 g de céréales 125 ml de riz ou de pâtes alimentaires	5 à 12
2. Légumes et fruits	1 légume 1 fruit 250 mg de salade 125 ml de jus	5 à 10
3. Produits laitiers	250 ml de lait 50 g de fromage 175 g de yogourt	3 à 4
4. Viandes et substituts	50 à 100 g de viande ou de poisson 1 ou 2 œufs 125 à 250 ml de légumineuses	2 à 3

* Le *Guide alimentaire canadien* propose un nombre plus ou moins grand de portions pour chaque groupe d'aliments. Les enfants peuvent choisir les quantités les plus petites et les adolescents les plus grandes. La plupart des gens peuvent choisir entre les deux.

Dans le traitement des troubles des conduites alimentaires, il est essentiel de redonner de l'importance aux aliments de ce cinquième groupe, que nous appellerons « aliments plaisir », car ils comblent davantage le besoin psychologique de l'individu. Ce groupe est constitué de tout ce qui plaît à la personne. Évidemment, les aliments de ce groupe diffèrent d'une personne à l'autre, mais ceux que l'on trouve le plus souvent sont les desserts, les croustilles, le chocolat et les bonbons.

Le GAC divise les aliments en quatre groupes : 1) les céréales ; 2) les fruits et légumes ; 3) les produits laitiers ; 4) les viandes. Si on ajoute les aliments plaisir, on obtient cinq groupes. Dans le GAC, il est question de portions recommandées par jour ; or, dans le traitement de ces troubles, il est préférable de parler de portions recommandées par repas, car *chaque repas est indépendant* des autres. Les personnes souffrant d'anorexie ou de boulimie ont tendance à calculer ce qu'elles ont mangé au repas précédent et ce qu'elles avaleront au repas suivant pour savoir ce qu'elles peuvent manger au repas actuel. Vous devez absolument éviter ce calcul. À l'heure du repas, il est inutile de vous culpabiliser à cause de ce que vous avez absorbé précédemment et de tenter de compenser vos surplus ou vos déficits : tout est digéré et utilisé, vous repartez à neuf. Vous ne pouvez réparer les erreurs du repas d'avant avec le repas suivant. Il est donc très important que chacun de vos repas contienne tous les groupes du GAC en portions adéquates.

Chaque groupe du GAC nous apporte des éléments nutritifs uniques. On ne peut remplacer aucun groupe par un autre. Chacun de vos repas devrait contenir au moins quatre groupes sur cinq, car il est acceptable, pour certains repas, qu'un groupe soit absent. La collation prise au milieu de la journée peut servir à compléter le repas précédent si elle est constituée du groupe manquant. Ce dernier ne doit cependant pas être toujours le même. Si tel est le cas, vous perdez automatiquement les caractéristiques uniques de ce groupe, et des déficiences peuvent survenir et nuire à votre santé.

CARACTÉRISTIQUES DES GROUPES D'ALIMENTS

Produits céréaliers

Premier groupe du GAC, les produits céréaliers sont la principale source d'énergie de notre alimentation ; ses constituants seront les plus nombreux dans notre menu quotidien. Voici quelques aliments de ce groupe : pain (bagel, kaiser, pita), croissants, crêpes, gaufres, céréales, pâtes, riz, couscous, pommes de terre, craquelins, muffins, etc. Le tableau 10.2 énumère les principaux constituants des produits céréaliers ainsi que leurs fonctions.

TABLEAU 10.2
Produits céréaliers

Constituants	Fonctions
Amidons	Ils sont la principale source d'énergie du corps. Ils procurent de l'énergie rapidement disponible, qui apaise vite la faim et donne l'*impression* d'être gonflé. C'est une énergie de courte durée (de 1 h 30 à 2 h).
Fibres	Elles régularisent le transit de l'intestin. Elles protègent l'intestin contre les substances irritantes ou cancérigènes. Elles *ne procurent pas* d'énergie.
Vitamine B	Elle permet au corps de bien métaboliser et utiliser l'énergie. Elle maintient un appétit normal.

Fruits et légumes

C'est un autre groupe essentiel caractérisé par son grand apport en vitamines. Il est erroné de s'imaginer que ce groupe peut nous procurer beaucoup d'énergie. Les fruits et les légumes sont très importants, mais ils jouent un rôle bien différent de celui des produits céréaliers. Les aliments de ce groupe peuvent prendre plusieurs formes : fruits frais, jus de fruits, fruits séchés, légumes frais, légumes surgelés, légumes en conserve, jus de légumes, soupes aux légumes, potages aux légumes, salades, crudités, etc. Le tableau 10.3 énumère les principaux constituants des fruits et des légumes ainsi que leurs fonctions.

Produits laitiers

Ce groupe a une importance considérable, surtout pour son contenu en calcium. Les principaux aliments de ce groupe sont le lait, le lait au chocolat, les fromages à pâte ferme (cheddar, mozzarella, oka, etc.), les fromages à pâte molle

TABLEAU 10.3
Fruits et légumes

Constituants	Fonctions
Vitamine C	Elle augmente la résistance aux infections et l'absorption du fer. Elle *ne procure pas* d'énergie.
Vitamine A	Elle maintient la cornée de l'œil en bonne santé. Elle est importante pour la croissance. Elle *ne procure pas* d'énergie.
Fibres	Elles régularisent le transit de l'intestin. Elles protègent l'intestin contre les substances irritantes ou cancérigènes. Elles *ne procurent pas* d'énergie.

* Plusieurs autres micronutriments n'apparaissant pas dans le tableau sont aussi présents dans les fruits et les légumes.

(brie, camembert, etc.), le fromage à tartiner, le fromage cottage, le yogourt, les sauces blanches, les desserts au lait, les flans, les potages crémeux, la crème glacée, etc. Le tableau 10.4 énumère les principaux constituants des produits laitiers ainsi que leurs fonctions.

Viandes et substituts

C'est le groupe qui fournit le plus de protéines et de fer. On trouve aussi du fer dans les légumes verts, mais il est moins bien absorbé que celui qui provient des protéines animales. Voici quelques aliments de ce groupe : bœuf, veau, porc, poulet, dinde, œufs, poisson, fruits de mer, agneau, viande chevaline, gibier, légumineuses (pois chiches, lentilles, haricots blancs, haricots rouges, etc.), noix et graines, beurre d'arachides ou d'autres noix, tofu, etc. Le tableau 10.5 présente les principaux constituants des viandes et de leurs substituts ainsi que leurs fonctions.

TABLEAU 10.4
Produits laitiers

Constituants	Fonctions
Protéines	Ce sont les bâtisseurs de tous les tissus de notre corps : muscles, peau, os, cerveau. Ils procurent de l'énergie de longue durée (de 3 h à 3 h 30 environ).
Calcium	Il est important pour la solidité des os et des dents.
Vitamine D	Elle est importante pour l'absorption et la fixation du calcium dans les os. Elle est présente dans le lait, mais aucun autre produit laitier n'en contient.

* D'autres nutriments n'apparaissant pas dans le tableau sont contenus dans ce groupe.

TABLEAU 10.5
Viandes et substituts

Constituants	Fonctions
Protéines	Ce sont les bâtisseurs de tous les tissus de notre corps : muscles, peau, os, cerveau. Elles procurent de l'énergie de longue durée (de 3 h à 3 h 30 environ).
Fer	Il oxygène tout le corps.
Zinc	Il assure une bonne croissance des cheveux, des os et des ongles. Il maintient un appétit normal.
Vitamine B_{12}	Elle maintient le système nerveux en bon état.

* D'autres nutriments n'apparaissant pas dans le tableau sont contenus dans ce groupe.

Aliments plaisir

Ce groupe permet d'assurer le respect du besoin psychologique de plaisir et évite que certains aliments deviennent interdits. Le groupe des aliments plaisir a comme seul et unique rôle de faire plaisir. Il n'est pas nécessaire que ces aliments contiennent des vitamines ou du calcium pour être acceptés dans votre alimentation. Si vous désirez des vitamines, vous devez manger des légumes et si vous désirez du calcium, vous devez boire du lait. Les aliments plaisir ne sont présents que pour vous donner du plaisir. Voici quelques exemples de ces aliments : bonbons, chocolat, biscuits, gâteaux, tartes, pâtisseries, muffins, mousse aux fruits, yogourt, compote de pommes, croustilles, frites, etc.

Comme vous le constatez, un aliment peut se trouver dans plus d'un groupe ; il est cependant essentiel que vous le classiez dans un seul groupe, selon vos goûts. Par exemple, si vous prenez un muffin au repas parce qu'il appartient au groupe des produits céréaliers, il ne fera pas partie des aliments plaisir pour ce repas. Par contre, si vous prenez votre muffin à la fin du repas parce que vous en avez envie, il pourra devenir votre aliment plaisir. Le fruit que vous ajoutez au repas pour assurer votre apport de vitamines ne fait pas partie des aliments plaisir, contrairement à celui que vous mangez parce que vous en avez envie. Le choix de l'aliment plaisir n'est donc aucunement déterminé par les constituants du repas.

En résumé, chacun des cinq groupes doit être présent dans une alimentation équilibrée, car les caractéristiques de chacun sont uniques et indispensables. On ne peut substituer un groupe à un autre.

À propos du gras...

On sait que les personnes souffrant d'un trouble des conduites alimentaires redoutent le gras et le considèrent comme leur pire ennemi. Cette phobie du gras est sans doute due en partie aux messages anti-gras que diffusent les médias. Il est donc fréquent que les personnes souffrant d'un trouble des conduites alimentaires ne mangent pas suffisamment de gras. Pourtant, ces derniers jouent un rôle essentiel dans le corps : ils constituent une réserve d'énergie, ils sont des précurseurs de la vitamine D et ils assurent la fabrication d'hormones, le transport des vitamines liposolubles (A, D, E, K) et l'intégrité de toutes les membranes cellulaires (dont celles de la peau et les cheveux). Il est inutile et même dommageable pour la santé de diminuer à l'excès votre apport en gras. Le GAC nous invite plutôt à le consommer modérément et, surtout, à en varier les sources. Il est donc nécessaire que votre alimentation contienne des gras de sources végétales (huiles, margarines, noix et graines, olives, etc.) et animales (produits laitiers, viandes, etc.).

QU'EST-CE QU'UNE PORTION ?

Voilà une question bien difficile pour une personne souffrant d'un trouble des conduites alimentaires. Évidemment, la réponse varie en fonction de l'âge, du sexe et de l'activité physique de chaque individu. Les portions que nous donnons dans les tableaux 10.6 et 10.7 conviennent à une femme entre 18 et 35 ans qui est modérément active, c'est-à-dire qui fait un exercice d'intensité moyenne (à la fin de la séance d'exercice, elle est capable d'avoir une conversation normale et n'est pas essoufflée) d'une durée de une heure, de une à trois fois par semaine, ou bien au rythme de 15 à 20 minutes par jour. Si l'activité est plus intense ou plus longue, il faut augmenter les portions prescrites.

Les portions sont données en volume et en poids, mais il est inutile de peser et de mesurer chacun des aliments que vous mangez. Ces mesures servent uniquement à vous aider à visualiser les portions. À la limite, vous pouvez peser ou mesurer les aliments la première fois, de manière à pouvoir évaluer approximativement les portions par la suite, mais il faut bien prendre garde de devenir obsédée par les mesures ! Ce qui détermine la grosseur des portions n'est en aucun cas le nombre de calories, mais bien la quantité de nutriments. Par exemple, la portion de 250 ml de lait a été déterminée en fonction de sa teneur en calcium et non en fonction du nombre de calories qu'elle contient. De même, la portion de viande ou de l'un de ses substituts est surtout basée sur l'apport en protéines et en fer.

Première étape : Partons du bon pied, déjeunons !

Lorsque l'alimentation est complètement déséquilibrée, le premier repas à normaliser est sans aucun doute le déjeuner (voir le tableau 10.6). Quand on désire se nourrir normalement, il faut réapprivoiser sa faim. Pour retrouver cette dernière et permettre à l'organisme de redémarrer, il est essentiel de déjeuner. Il est normal que l'appétit soit plus faible ou même absent le matin au réveil, mais il n'en demeure pas moins qu'il est extrêmement important de déjeuner, car le corps en a réellement besoin. Déjeuner le matin favorise un meilleur contrôle sur l'appétit tout au long de la journée. Les sections qui suivent portent sur les groupes d'aliments qui doivent faire partie d'un déjeuner équilibré (voir le tableau 10.6).

Produits céréaliers Les produits céréaliers ont un rôle primordial dans l'alimentation. Comme le GAC recommande de 5 à 12 portions de produits céréaliers par jour, une moyenne de deux portions par repas, qui donne six portions par jour, constitue une bonne base. Évidemment, consommer trois portions de produits céréaliers au déjeuner de temps à autre est aussi adéquat, deux portions étant une moyenne.

Un bol de céréales n'est pas un déjeuner suffisant ; vous devez ajouter en supplément une tranche de pain ou une autre portion de produits céréaliers. Il est important de noter que les portions inscrites sur les boîtes de céréales ne correspondent pas toujours à une portion normale. Elles sont la plupart du temps inférieures aux recommandations du GAC.

Il est évident que certains produits céréaliers sont plus caloriques que d'autres. À cet égard, le secret de l'équilibre est la variété. Plus vos produits céréaliers varieront d'une journée à l'autre, plus l'apport calorique moyen sera stable.

TABLEAU 10.6
Composition du déjeuner

Groupes d'aliments	Portions requises	Exemples d'une portion
Produits céréaliers	Choisir deux portions parmi ces exemples	1 tranche de pain (peu importe la sorte) 1 bol de céréales (remplir le bol aux 3/4 avant d'ajouter le lait) 1 gaufre 1 petit muffin 1/2 muffin anglais 1/2 bagel 1 croissant 125 ml de pommes de terre
Légumes et fruits	Choisir une portion parmi ces exemples	125 ml de jus de fruits 1/2 pamplemousse 1 orange 1 banane 1 kiwi 2 clémentines 125 ml de salade de fruits
Lait et produits laitiers	Choisir une portion parmi ces exemples	250 ml de lait 175 ml de yogourt (contenant de 175 g) 1 gros morceau de fromage (cube de 3 cm) 1 tranche épaisse ou 2 tranches minces de fromage 2 c. à soupe combles de fromage fondu 125 ml de fromage cottage
Viandes et substituts	Choisir une ou deux portions parmi ces exemples	1 gros œuf 1 c. à soupe comble de beurre d'arachides 1 gros morceau de fromage (cube de 3 cm) 1 tranche épaisse ou 2 tranches minces de fromage

TABLEAU 10.6
Composition du déjeuner (*suite*)

Groupes d'aliments	Portions requises	Exemples d'une portion
Viandes et substituts (*suite*)		2 c. à soupe de cretons 1 tranche de jambon ou 3 tranches de bacon 125 ml de fèves au lard
Aliments plaisir	Choisir une ou deux portions parmi ces exemples	Beurre ou margarine Fromage à la crème Sucre ou cassonade Miel Confiture

Fruits et légumes Les portions de fruits et de légumes indiquées sont des quantités minimales à respecter pour obtenir l'apport recommandé en vitamines ; il faut savoir que plus on en mange, mieux on se porte. Toutefois, les fruits ne peuvent pas remplacer les autres groupes du GAC. Ils peuvent être pris en grande quantité, mais pas au détriment des autres aliments. Il est important de noter qu'une portion de banane équivaut au fruit complet et non à une moitié.

Lait et produits laitiers Le lait qui accompagne les céréales ne correspond généralement pas à une portion. Il faut donc ajouter beaucoup de lait à vos céréales et boire ce qui reste dans le bol. Si la quantité de lait est inférieure à une portion, il faut prendre un complément.

Viandes et substituts Il est essentiel que votre déjeuner contienne une bonne source de protéines. Le fromage peut se situer dans le groupe des viandes et de leurs substituts ou dans celui du lait et des produits laitiers, selon votre déjeuner. Ce repas doit comprendre obligatoirement une portion de protéines. Il arrive régulièrement que le déjeuner en contienne deux, par exemple lors d'un brunch. Il est tout à fait correct de prendre un œuf accompagné d'une autre protéine (jambon, bacon, etc.).

Aliments plaisir Le groupe des aliments plaisir ajoute une satisfaction gustative au déjeuner. On doit consommer ces aliments avec mesure. On sait que la quantité est modérée si elle rehausse le goût original des autres aliments. L'ajout de calories est négligeable comparativement à vos besoins quotidiens.

Deuxième étape : Composer son dîner et son souper

Le dîner et le souper sont deux repas assez semblables quant aux portions et aux groupes d'aliments qui les composent (voir le tableau 10.7). Selon les horaires de travail ou d'études, le dîner peut consister en un lunch, c'est-à-dire être composé d'aliments froids, et le souper peut être constitué d'aliments chauds. Cependant, aucune règle n'existe à ce sujet ; il s'agit de choisir ses aliments en fonction du temps dont on dispose pour leur préparation et de l'endroit où l'on se trouve. Les sections qui suivent portent sur les groupes d'aliments qui doivent faire partie d'un dîner et d'un souper équilibrés (voir le tableau 10.7).

Produits céréaliers Il est souvent difficile d'évaluer si la portion de pâtes est adéquate. La tasse à mesurer ne permet qu'une approximation, car il faudrait écraser les pâtes pour obtenir la véritable mesure. Pour certaines pâtes, il faut doubler la quantité.

Lorsque l'on mange des pâtes, du riz ou tout autre produit céréalier en accompagnement d'une viande, deux portions suffisent, mais s'ils deviennent le plat principal (salade de riz, spaghetti italien, etc.), il faut en consommer trois portions. Dans un sandwich, on a automatiquement deux produits céréaliers ; le principe est le même pour le hot-dog ou le hamburger.

Lait et produits laitiers Le GAC recommande de deux à quatre portions de lait et de produits laitiers par jour. Si vous en consommez une portion par repas, cela donne trois

TABLEAU 10.7
Composition du dîner et du souper

Groupes d'aliments	Portions requises	Exemples d'une portion
Produits céréaliers	Choisir deux portions parmi ces exemples	1 tranche de pain 1/2 bagel ou 1/2 kaiser 1/2 pita 1 croissant 1/2 pain hot-dog ou hamburger 125 ml de riz cuit 125 ml de pâtes cuites 1 petite pomme de terre 125 ml de pomme de terre purée
Lait et produits laitiers	Choisir une portion parmi ces exemples	250 ml de lait 175 ml de yogourt (contenant de 175 g) 1 gros morceau de fromage (cube de 3 cm)
Viandes et substituts	Choisir une portion parmi ces exemples	De 90 à 120 g de viande rouge, de viande blanche, de poisson ou de fruits de mer 3 gros morceaux de fromage (cubes de 3 cm) 2 tranches de fromage épaisses 250 ml de légumineuses 2 œufs 175 ml de tofu 175 ml de noix, d'amandes, etc.
Légumes	Choisir une portion parmi ces exemples	125 ml de légumes cuits ou crus 1 jus de légumes (125 ml) 1 bol de soupe aux légumes 250 ml de laitue
Fruits	Choisir une portion parmi ces exemples	125 ml de fruits cuits ou crus 1 pêche ou 1 pomme 1 kiwi ou 2 clémentines →

TABLEAU 10.7
Composition du dîner et du souper (*suite*)

Groupes d'aliments	Portions requises	Exemples d'une portion
Matières grasses (lipides)	Choisir une portion parmi ces exemples	Beurre, margarine ou huile Mayonnaise Fromage à la crème Vinaigrette
Aliments plaisir	Choisir une portion parmi ces exemples	2 biscuits 1 muffin 1 morceau de gâteau 1 pointe de tarte 1 boule de crème glacée 1 sac de croustilles (chips)

portions par jour, ce qui est une excellente base. Le lait doit obligatoirement être présent dans l'alimentation, car les substituts du lait ne contiennent pas de vitamine D.

Viandes et substituts On évitera de peser la viande pour en établir les portions. L'équivalent approximatif d'une portion minimale correspond au volume de la main. Par exemple, un filet de poisson de la longueur et de la largeur de la main (doigts compris) serait acceptable. Si la viande est plus épaisse (tournedos, boulette de viande hachée), l'équivalent de la paume de la main correspond approximativement à une portion normale. Lorsque le fromage tient lieu de produit laitier, un gros morceau est suffisant, car la quantité de calcium qu'il contient est adéquate. Par contre, lorsque le fromage est considéré comme le substitut d'une viande, il faut en manger trois morceaux pour obtenir assez de protéines.

Les personnes désireuses de s'adonner au végétarisme se rendront bien compte que les végétariens ne mangent pas moins que les non-végétariens. Dans le régime végétarien, les quantités de protéines végétales représentent souvent un plus gros volume que les protéines animales. De plus, selon le style de végétarisme que l'on pratique, il est important que l'on consulte une diététiste pour évaluer si tous les apports recommandés en protéines, en calcium, en fer, en zinc, en vitamines D et B_{12} sont respectés. Il peut être nécessaire de prendre des suppléments.

Fruits et légumes Il est facile de manger les portions de fruits et de légumes nécessaires pour obtenir les apports recommandés en vitamines. Certaines diront même qu'elles en consomment facilement le double ou le triple... Tant mieux ! Le GAC recommande de 5 à 10 portions de fruits et de légumes par jour. En en mangeant une portion au déjeuner, deux au dîner et deux au souper, on consomme le nombre minimal de portions recommandées. Évidemment, plus on se rapproche des 10 portions par jour, mieux c'est. Toutefois, il est bien important de veiller à ce que les fruits et les légumes ne remplacent pas les aliments des autres groupes.

Gras Les matières grasses occupent une place de premier plan dans une alimentation bien équilibrée. Les déficiences en gras essentiels sont la cause de nombreux inconvénients pour la santé. Bien sûr, il faut consommer le gras avec modération. Dans l'alimentation de tous les jours, ce groupe joue aussi un rôle gustatif et pratique : une salade sans vinaigrette ou un sandwich au poulet sans mayonnaise sont beaucoup moins savoureux, et un peu d'huile dans la poêle est toujours très utile pour éviter que les aliments ne collent. Les matières grasses servent en outre à rehausser le goût des aliments. La quantité utilisée est adéquate si l'aliment conserve son goût original ; si un sandwich au poulet goûte plus la mayonnaise que le poulet, il faut peut-être revoir la quantité...

Aliments plaisir Voici le groupe spécialement destiné à répondre au besoin de plaisir. Évidemment, ses constituants peuvent varier beaucoup d'une personne à l'autre. L'élément important, dans ce groupe comme dans tous les autres, s'avère la diversité. Il faut varier le plus possible les aliments plaisir que l'on mange. Les aliments des autres groupes peuvent faire partie des aliments plaisir si on les choisit uniquement pour le plaisir et non pour leur apport en éléments nutritifs.

Souvent, les personnes souffrant d'un trouble des conduites alimentaires diront ne pas aimer *naturellement* cette catégorie d'aliments et prétendront que les fruits et les légumes sont leurs véritables aliments plaisir. Il est primordial, avant de vous prononcer sur vos goûts par rapport aux aliments plaisir, de tous les réintégrer dans votre alimentation au moins une fois. Vous devez être certaine que votre manque d'enthousiasme envers cette catégorie n'est pas relié à des règles rigides qui perpétuent les peurs, l'isolement et l'obsession. Une fois que vous aurez inclus toutes les catégories d'aliments plaisir dans votre alimentation, vous pourrez décider plus librement de vos *véritables* goûts personnels.

JOURNAL ALIMENTAIRE

Pour analyser votre alimentation et déterminer vous-même vos forces et vos faiblesses, le journal alimentaire est un outil particulièrement utile. Il s'agit de noter dans un carnet, repas après repas, tout ce que vous avez mangé et bu. Vous analysez ensuite le contenu des repas. Les cinq groupes du GAC sont-ils présents ? Les portions sont-elles adéquates ? Mangez-vous toujours les mêmes aliments ou vos repas sont-ils variés ? Le tableau 10.8 donne un exemple de journal alimentaire.

Dans la colonne de gauche, vous indiquez l'heure à laquelle vous prenez votre repas et la ou les personnes avec qui vous le prenez. Dans la colonne « Aliments consommés », vous indiquez de manière détaillée ce que vous avez mangé ou bu. La colonne de droite vous permet d'évaluer votre repas. Les groupes d'aliments nécessaires sont inscrits, et les carrés indiquent le nombre de portions à ingurgiter (chaque carré correspond à une portion). Les carrés entre parenthèses correspondent à des portions facultatives. Le journal alimentaire est un moyen facile de vérifier votre équilibre alimentaire. Dans la case des comportements compensatoires, vous indiquez tout ce que vous avez fait pour diminuer la culpabilité reliée aux repas (prise de laxatifs, vomissements, exercice, etc.). Pour guérir d'un trouble des

TABLEAU 10.8
Journal alimentaire

Déjeuner et collation

Heure	Aliments consommés	Groupes et portions
		Produits céréaliers ☐ ☐ Fruits ☐ Lait et produits laitiers ☐ Viandes et substituts ☐ (☐) Aliments plaisir ☐ (☐)

t collation

Heure	Aliments consommés	Groupes et portions
		Produits céréaliers ☐ ☐ Fruits ☐ Légumes ☐ Lait et produits laitiers ☐ Viandes et substituts ☐ Gras ☐ Aliments plaisir ☐
Avec qui		
Comportements compensatoires		

ENCADRÉ 10.1
Pensées et émotions

1. Comment est-ce que je me sens présentement ?
2. Ai-je pris un risque au cours de ce repas ?
3. Quelles stratégies m'ont aidée à normaliser ce repas ?
4. Y a-t-il un lien entre mon repas, mes émotions et ce que j'ai vécu dernièrement ?

conduites alimentaires, il faut normaliser son alimentation, mais aussi éliminer graduellement les comportements compensatoires.

Il est essentiel de répondre aux questions de l'encadré 10.1 pour tenir un journal alimentaire. La question 1 sert à déterminer et à exprimer les émotions ressenties au cours du repas et surtout après celui-ci. La question 2 vous aide à prendre conscience du fait que pour vous améliorer, vous devez affronter vos peurs face aux aliments et prendre des risques en mangeant parfois ceux qui sont source d'inquiétude. La question 3 vous permet de savoir quelles pensées positives et rationnelles ont favorisé la prise de risques. Vous découvrirez ainsi vos forces par rapport au trouble des conduites alimentaires et vous conserverez plus facilement votre motivation. La question 4 vous amène à relever les émotions de la vie courante qui ont pu avoir un lien avec ce que vous avez mangé. Vous devez apprendre graduellement à séparer vos émotions de votre alimentation. Le corps a des besoins qu'il faut dissocier des émotions ressenties.

EXEMPLES DE REPAS COMPLETS

Quand vous regardez tous les tableaux présentés dans ce chapitre, vous imaginez-vous des assiettes énormes remplies jusqu'au bord ? Détrompez-vous, car ces recommandations sont très réalistes. Voici des exemples de repas fort simples qui contiennent tous les groupes nécessaires à une alimentation équilibrée.

Exemples de déjeuner

- Rôtie avec beurre d'arachides (produits céréaliers + viandes et substituts)
  Rôtie avec beurre et confiture (produits céréaliers + aliments plaisir)
  Verre de lait (produits laitiers)
  Pomme pour la collation (fruits et légumes)
- Verre de jus d'orange (fruits et légumes)
  Bol de céréales et lait (produits céréaliers + produits laitiers)
  Rôtie avec fromage (produits céréaliers + viandes et substituts)
- Demi-bagel avec fromage (produits céréaliers + viandes et substituts)
  Demi-bagel avec beurre et banane (produits céréaliers + aliments plaisir + fruits et légumes)
  Verre de lait (produits laitiers)

Exemples de dîner ou de souper

- Sandwich comprenant deux tranches de poitrine de dinde, du fromage, de la mayonnaise, de la laitue et des tomates (deux produits céréaliers + viandes et substituts + produits laitiers + gras + fruits et légumes)
  Jus de légumes (fruits et légumes)
  Deux biscuits à l'érable (aliments plaisir)
- Escalope de poulet cuite dans un peu de beurre (viandes et substituts + gras)
  Deux boules de riz (deux produits céréaliers)
  Brocoli et chou-fleur (fruits et légumes)
  Jus de pommes (fruits et légumes)
  Carré aux dattes (aliments plaisir)
  Verre de lait (produits laitiers)
- Spaghetti sauce à la viande (trois produits céréaliers + viandes et substituts + fruits et légumes)
  Salade avec vinaigrette (fruits et légumes + gras)

Boisson gazeuse (aliments plaisir)
Yogourt aux fraises (produits laitiers)

À votre tour maintenant...

~

La réadaptation nutritionnelle est déterminante dans le traitement de l'anorexie ou de la boulimie. Pour favoriser la normalisation de l'alimentation et des comportements qui lui sont associés, il est essentiel de procéder étape par étape, en se fixant constamment de petits objectifs réalistes qui permettront d'accumuler les victoires et d'entretenir la motivation. Le journal alimentaire est un outil clé dans cette démarche, car il aide à atteindre les objectifs fixés. Au cours du traitement, il ne faut jamais perdre de vue que l'alimentation doit répondre aux trois besoins de base : on prend trois repas et deux ou trois collations par jour (besoin physique) en incluant les aliments plaisir (besoin psychologique) et en favorisant les repas pris entre amis (besoin social). Chaque aliment a sa place au menu, chacun ayant son rôle à jouer dans l'équilibre alimentaire. Ce serait une erreur d'en exclure certains, car le grand secret est la *variété*. Le chemin de la guérison est parsemé d'embûches ; il ne faut donc pas se décourager quand se présente un obstacle. La persévérance dans la tenue de son journal et la fixation d'objectifs réalistes constitue un atout majeur dans le combat contre les troubles des conduites alimentaires.

Remerciements

Merci à Guy Pomerleau de m'avoir permis de participer à ce beau projet. Merci à mes collègues Sonia Boivin, Annie Bergeron Deschênes, Danielle Roy et Odette Navratil pour leurs critiques et leurs commentaires fort appréciés.

CHAPITRE 11

Vaincre les difficultés psychologiques : les psychothérapies

Sommaire

Plusieurs formes de psychothérapie s'appliquent au traitement de l'anorexie mentale et de la boulimie. Elles ont comme objectifs :

- d'améliorer votre fonctionnement personnel et interpersonnel en vous donnant l'occasion de travailler les conflits psychologiques sous-jacents à votre maladie, d'améliorer votre estime de soi en vous aidant à faire face à vos craintes par rapport au monde adulte ;
- de vous amener à vous affirmer et à mieux connaître vos limites, à les respecter et à les faire respecter ;
- de corriger les pensées automatiques négatives.

Habituellement, on vous propose une rencontre hebdomadaire de 45 à 60 minutes au cours de laquelle sont abordés les points énumérés ci-dessus. Évidemment, l'ensemble de ces questions ne s'applique pas nécessairement à toutes les patientes, mais l'entrevue d'évaluation permettra de préciser le ou les objectifs d'intervention et l'approche indiquée pour chacune. On ne doit pas choisir le type de thérapie selon la formation du thérapeute, mais en fonction des besoins de la personne et des problématiques qu'elle doit résoudre. On utilise principalement les thérapies individuelles cognitives, interpersonnelles et psychodynamiques. À celles-ci s'ajoute également la psychothérapie familiale.

Les différentes psychothérapies individuelles doivent s'adapter à la problématique anorexique. Ainsi, les thèmes suivants seront généralement abordés à un moment ou l'autre de votre traitement :

- les modes relationnels conflictuels ;
- les pensées automatiques négatives ;
- l'estime de soi ;
- l'affirmation de soi ;
- la capacité de poser ses limites ;
- les craintes relatives aux responsabilités du monde adulte.

THÉRAPIE COGNITIVE

Cette forme de psychothérapie a fait l'objet, au cours des dernières années, de multiples publications et a donné lieu à l'utilisation de manuels standardisés. Cette approche s'étant beaucoup développée et s'étant révélée efficace, le chapitre 12 lui est consacré. Elle a pour objectif de modifier les schèmes de pensée non fonctionnels (les pensées automatiques négatives) tant en matière d'alimentation, de poids et d'image corporelle qu'en ce qui concerne des aspects psychologiques tels l'estime de soi, le perfectionnisme, l'esprit de compétition, etc. Le traitement cognitif de l'anorexie mentale dure généralement de un à deux ans, alors que celui de la boulimie se limite généralement à vingt rencontres hebdomadaires (Garner, 1997).

PSYCHOTHÉRAPIE INTERPERSONNELLE

La psychothérapie interpersonnelle est une thérapie brève qui a été élaborée d'abord et avant tout pour le traitement de la dépression, mais qui s'applique avec succès aux troubles des conduites alimentaires, et surtout à la boulimie. Klerman et ses collaborateurs (1984) ont publié un ouvrage portant sur cette forme de psychothérapie qui se déroule habituellement sur une période de quatre à cinq mois à raison d'une séance par semaine. On n'y met pas l'accent sur les problèmes alimentaires, mais sur les difficultés interpersonnelles actuelles que l'on aura cernées. On examine ainsi quatre problématiques :

- *Le deuil pathologique :* Certaines patientes ont vécu des situations de perte affective qu'elles n'ont pas réussi à surmonter. Il faudra les aider à faire face à ces pertes en analysant les émotions qui y sont liées, dont la tristesse, parfois la colère, la culpabilité. Il s'agira pour la personne de réévaluer la relation qu'elle a perdue et d'accepter d'en faire le deuil sous ses aspects positifs et négatifs. La thérapie devra également favoriser de nouveaux investissements affectifs.
- *Les mésententes interpersonnelles :* Chez les personnes souffrant de troubles des conduites alimentaires, ces mésententes sont fréquentes et peuvent jouer un rôle dans l'apparition ou le maintien des problématiques anorexiques ou boulimiques. Les relations conflic-

tuelles concernent habituellement les proches parents, le conjoint ou une figure d'autorité. On doit cerner le problème, clarifier la nature des difficultés, analyser celles-ci et rechercher un compromis ou de nouvelles solutions pour y faire face de façon saine. Il faudra résoudre le conflit de façon satisfaisante en négociant à nouveau la relation. Si cela s'avère impossible, il faudra envisager une rupture ou une distanciation.

- *Les difficultés dans les changements de rôle :* L'adolescence est une phase particulière d'adaptation à de nouveaux rôles au cours de laquelle les jeunes doivent prendre de nouvelles responsabilités et devenir plus indépendants par rapport aux figures parentales. C'est aussi une période de changements scolaires et de choix de carrière, étapes qui sont sources de malaise et d'anxiété. Le but de la thérapie sera encore une fois de bien circonscrire la problématique, d'analyser les difficultés et d'élaborer différentes pistes de solutions. La patiente devra accepter de perdre le sentiment de sécurité associé à son ancien rôle et de relever de nouveaux défis.
- *Les déficits relationnels :* Lorsqu'il existe des déficits relationnels, la personne éprouve des difficultés constantes à entrer dans une relation affective intime et à y rester. Il existe un schème de comportement répétitif qui conduit tôt ou tard à des problèmes ou à des échecs relationnels. Habituellement, l'histoire détaillée de la personne permet de faire ressortir ces schèmes et de relever certains événements et situations vécus qui ont pu produire ou accentuer les déficits relationnels. Une meilleure connaissance de soi et de ces schèmes répétitifs pourra aider la patiente à faire des changements dans sa vie et à briser son isolement social.

La thérapie interpersonnelle est un outil efficace dans le traitement de diverses problématiques psychologiques et psychiatriques. Les personnes traitées finissent par s'apercevoir qu'elles sont capables de faire des changements qui améliorent leur mode de fonctionnement et la qualité de leurs relations interpersonnelles. Cette meilleure adaptation diminue les situations stressantes et peut ainsi soulager certains symptômes des troubles alimentaires, particulièrement de la boulimie.

PSYCHOTHÉRAPIE PSYCHODYNAMIQUE

On se sert depuis longtemps de cette forme de psychothérapie, qui s'inspire de la psychanalyse, pour traiter les personnes souffrant d'anorexie mentale. La psychothérapie analytique se déroule habituellement sur une période de une à trois années, à raison de une ou deux entrevues par semaine. Bien qu'il existe de nombreux témoignages de son efficacité, il n'y a pas d'études systématiques pouvant en déterminer la valeur.

Les psychothérapeutes d'orientation analytique ont d'abord voulu axer le travail thérapeutique sur la notion de conflit entre différentes pulsions (sexualité, agressivité) et des interdits sociaux (surmoi) que la personne a fait siens. Le but du traitement est d'explorer les situations conflictuelles inconscientes, de les revivre et de les analyser dans le contexte de la relation thérapeutique.

L'essentiel du travail repose donc sur une alliance thérapeutique selon laquelle le psychothérapeute et sa patiente explorent la vie intrapsychique de celle-ci à l'aide d'associations libres et de l'analyse des rêves, qui facilitent l'accès au monde inconscient. La psychothérapie permettra de découvrir les différents conflits auxquels la personne a dû faire face et de mieux les comprendre en prenant conscience de leurs aspects pulsionnels et défensifs. On pourra intégrer l'approche psychodynamique au traitement lorsqu'on aura mis en évidence, à partir de l'histoire de la personne qui consulte, des troubles reliés à des conflits intrapsychiques ou des difficultés précoces dans les relations intrafamiliales.

Sous l'influence de Hilde Bruch (1978), les psychothérapies de type analytique ont évolué pour s'adapter aux besoins particuliers de la personne anorexique. On a ainsi élaboré des types de thérapie axés sur l'affirmation de soi, l'autonomisation et l'individuation ainsi que sur la recherche d'une identité propre.

~

Chacune de ces formes de psychothérapie, qu'elle soit cognitive, interpersonnelle ou psychodynamique, a sa propre valeur. Cependant, chaque cas est unique et il faut l'évaluer en fonction des paramètres cognitifs, interpersonnels et psychodynamiques.

PSYCHOTHÉRAPIE FAMILIALE

Minuchin, Rosman et Baker (1978) ont décrit des familles d'individus anorexiques et élaboré un modèle de « famille psychosomatique ». Selon ce modèle, l'enfant contractera une maladie si les trois facteurs suivants sont présents :

- L'enfant est vulnérable physiologiquement ;
- Il existe des caractéristiques transactionnelles dans la famille (enchevêtrement des liens, surprotection, rigidité, conflits non résolus) ;
- L'enfant malade joue un rôle important dans la famille en ce qu'il permet d'éviter les conflits.

Minuchin, Rosman et Baker ont créé des modèles d'intervention structurale selon l'organisation familiale. La thérapie aura pour but de réduire ces dysfonctionnements et de privilégier des relations plus saines dans la famille.

Le groupe de Milan, dirigé par Selvini Palazzoli (1986), a décrit certaines caractéristiques familiales qui rejoignent celles de Minuchin, Rosman et Baker. Pour ce groupe, la famille est devenue un système interactionnel organisé de façon rigide dans lequel le symptôme de la maladie joue un rôle majeur comme mécanisme homéostatique. Le but de la thérapie, selon le groupe de Milan, sera d'introduire une nouvelle perspective au chapitre du fonctionnement de la famille en tentant de dégager une hypothèse sur son type d'organisation et sur le rôle du symptôme dans cette structure.

La thérapie familiale n'a pas pour but de trouver qui est « coupable » ou responsable de la maladie. Il s'agit plutôt d'envisager la famille comme un système interactif dans lequel un enfant malade et un milieu familial ont adopté un mode de fonctionnement qui contribue à perpétuer un symptôme. L'anorexie mentale et la boulimie peuvent apparaître dans un contexte familial sain. Il s'agit de voir si l'on peut modifier la façon dont fonctionne la famille ou son style d'interaction pour permettre une amélioration du symptôme. Trop souvent, les parents, la mère en premier, auront tendance à se blâmer secrètement pour la maladie de leur fille. Or, de nombreux facteurs peuvent être en cause dans ces troubles, et il est hors de question d'en rendre responsable une seule personne.

L'approche familiale s'adresse avant tout à des adolescentes ou à des préadolescentes qui vivent encore dans une famille où le thérapeute a détecté un mode de fonctionnement qui a joué un rôle dans le déclenchement des symptômes des troubles de l'alimentation ou qui contribue à les perpétuer.

Il ne faut pas oublier que les travaux de recherche dans ce domaine n'ont pu définir un modèle particulier d'interaction favorisant l'apparition des troubles de l'alimentation. On a même observé des cas d'anorexie graves dans des familles ayant un fonctionnement sain. Le milieu familial est un système complexe dans lequel interagissent une adolescente anorexique avec son tempérament et les autres membres de la famille avec leurs attitudes propres.

Chez les boulimiques, on a plutôt décrit des familles où les conflits sont ouverts sans qu'on cherche à les résoudre, où ont cours une certaine négligence et des comportements de rejet. Toutefois, on n'a pas prouvé scientifiquement que tel modèle d'interaction familiale engendrait la boulimie. En outre, l'approche familiale n'a pas fait l'objet d'études en ce qui a trait à la boulimie.

~

Même si la patiente ne suit pas une thérapie familiale, il est essentiel que le thérapeute rencontre son conjoint ou sa famille. D'une part, il pourra se faire une meilleure idée du fonctionnement interpersonnel familial de la patiente et, d'autre part, cela lui permettra de déculpabiliser les membres de la famille, s'il y a lieu, mais surtout de les informer sur les différents aspects de la maladie. L'intervention visera à expliquer en quoi consiste le trouble des conduites alimentaires et à apaiser les relations entre l'adolescente ou la jeune femme et sa famille, qui ont pu devenir particulièrement tendues. La famille a le plus souvent tendance à intervenir dans l'alimentation de la jeune fille, ce qui mène à un cercle vicieux : l'adolescente s'oppose davantage à ses parents en mangeant encore moins ou en se faisant vomir.

CHAPITRE 12

Thérapie cognitive

*Sonia Boivin, Ph.D. (psychologie)**

Sommaire

* Psychologue pour le Programme d'intervention et de traitement des troubles des conduites alimentaires au Centre hospitalier universitaire de Québec.

La thérapie cognitive a été conceptualisée par le Dr Aaron T. Beck dans le début des années 1960 (Beck, 1995). Ce type de psychothérapie a pour objectif d'aider la personne à modifier certaines pensées, émotions et comportements reliés à un problème d'ordre psychologique. Dans cette approche, le thérapeute travaille en collaboration avec la patiente. En effet, il partage avec elle sa vision de la problématique et l'incite fortement à s'engager dans le processus de la thérapie par des activités aidantes qu'ils auront élaborées ensemble. La patiente détermine également, de concert avec le thérapeute, les points qu'elle désire aborder durant l'entrevue. L'objectif visé est d'aider la patiente à devenir, au cours de la thérapie, son propre thérapeute. Ainsi, elle sera davantage en mesure de maintenir et de généraliser ses acquis à la suite de la thérapie. Il est donc essentiel qu'on lui explique l'objectif visé par les techniques utilisées ainsi que la façon de se servir des outils dont elle dispose.

Le présent chapitre donne un aperçu général des techniques de base de la thérapie cognitive. Il s'adresse tant au thérapeute qu'à sa cliente. Les exemples proposés portent sur certains symptômes reliés aux troubles des conduites alimentaires telle la distorsion de l'image corporelle. Nous donnons aussi des exemples de facteurs favorisant le maintien de ces troubles (faible estime de soi, dévalorisation). Toutefois, ces perceptions inadéquates sont travaillées avec la cliente lorsque la restriction alimentaire a quelque peu diminué et que la personne est davantage en mesure de se concentrer. Nous suggérons également des exercices dans le but de faciliter la compréhension. Ce chapitre explique ce que sont les pensées automatiques négatives ainsi que la façon de les cerner et de les modifier. Nous vous conseillons de le lire non pas d'une traite, mais graduellement, en prenant le temps de mettre en pratique les nouvelles habiletés. Le thérapeute qui désirerait approfondir la thérapie cognitive peut consulter entre autres les ouvrages de Beck (1979), de Beck (1995), de Greenberger et Padesky (1995) et de McMullin (2000).

PENSÉES, ÉMOTIONS ET COMPORTEMENTS

Trois éléments sont au centre de la thérapie cognitive : les pensées (cognitions), les émotions et les comportements. Parmi ces éléments, l'un est central et a un effet sur les autres. Selon l'opinion populaire, les émotions influencent les pensées et les comportements.

Prenons un exemple. Vous êtes debout dans un autobus bondé et recevez un coup derrière la jambe. Que se passe-t-il ? Vous êtes peut-être fâchée et vous avez envie de dire à la personne de regarder davantage où elle va. Vous diriez donc que l'émotion vient en premier. Reprenons le même exemple. Vous êtes dans un autobus bondé et recevez un coup derrière la jambe. Vous êtes d'abord fâchée et vous vous retournez. Comme vous regardez la personne, la colère diminue. Quelle émotion ressentez-vous ? Vous éprouvez peut-être de l'indifférence plutôt que de la colère et demeurez silencieuse. Que s'est-il passé ? Comment expliquer ce brusque changement d'humeur ? La situation est pourtant la même : vous vous êtes fait brusquer dans l'autobus ! C'est votre interprétation de la situation qui est différente. Les pensées (« C'est un jeune impudent qui m'a frappée » ou « Elle ne m'a pas vue, ce n'était pas volontaire ») viennent d'abord, puis sont suivies des émotions (colère ou indifférence) auxquelles succèdent finalement les comportements (vous dites à la personne d'être plus attentive ou vous demeurez silencieuse), ce qui donne la chaîne du tableau 12.1.

TABLEAU 12.1
Chaîne pensées, émotions et comportements

Situation	Pensées	Émotions	Comportements
Vous recevez un coup derrière la jambe.	C'est un jeune impudent.	Colère	Vous lui dites d'être plus attentif.
	Elle ne m'a pas vue, ce n'était pas volontaire.	Indifférence	Vous demeurez silencieuse.

Ainsi, lorsque vous modifiez votre pensée, cela a un effet sur vos émotions et votre comportement. La thérapie cognitive a donc comme objectif de vous aider à modifier vos pensées.

Cerner les pensées automatiques négatives

Évidemment, on n'a pas à modifier toutes ses pensées. On pense tout au cours de la journée (« Je dois me brosser les dents », « Je vais déverrouiller la portière de la voiture », etc.) et cela n'a pas nécessairement un effet sur nos émotions. Ce sont des pensées volontaires, facilement accessibles et temporaires. Tout le monde a ce genre de pensées orientées vers l'action, qui sont même essentielles au fonctionnement quotidien, bien qu'elles défilent sans que l'on en soit conscient.

Le type de pensées dont il sera question dans le présent chapitre relève plutôt du discours intérieur que l'on tient à l'égard de soi. Les pensées que nous ciblons particulièrement sont celles dites négatives. En fait, elles se nomment « pensées automatiques négatives ». À partir des expériences que nous vivons, nous développons une façon de concevoir le monde (voir la section « Croyances centrales », p. 167-169). Les pensées automatiques négatives découlent de ces conceptions. Avec les années, elles deviennent automatiques, c'est-à-dire qu'elles surgissent et passent rapidement dans notre esprit dans certaines situations sans même que nous nous en rendions compte. Elles sont plus stables et moins accessibles que les pensées volontaires. Elles engendrent toujours une émotion négative. Par exemple, la thérapeute de Jeanne félicite cette dernière, qui a réussi à diminuer le nombre de ses crises de boulimie. Jeanne se dit qu'elle n'y est pour rien, que c'est seulement parce que ses parents étaient davantage à la maison. Chloé a pris des laxatifs aujourd'hui malgré le fait qu'elle n'en prenait plus depuis un mois. Elle se dit que cela confirme qu'elle ne s'en sortira jamais et qu'elle n'est bonne à rien. Voilà autant d'exemples de pensées automatiques négatives. Elles surviennent rapidement, souvent à notre insu, et, par leur caractère négatif, modifient notre humeur. Par exemple, Jeanne se sent probablement déçue d'elle-même, et Chloé, triste et découragée. Les pensées automatiques négatives prennent deux formes : des mots ou des images. Chloé, en plus de se dire qu'elle ne s'en sortira jamais, a imaginé ses proches en train de pleurer de découragement.

Tout le monde a des pensées négatives à un moment ou un autre. Toutefois, celles-ci prédominent chez les personnes vivant des difficultés d'ordre psychologique tels les troubles des conduites alimentaires. Ces personnes ont davantage tendance à transformer des événements neutres ou positifs en événements négatifs. Ces pensées négatives ne reflètent toutefois pas la réalité. Elles sont généralement fausses ou contiennent seulement une parcelle de vérité. Par exemple, il se peut que Jeanne ait eu plus de facilité à diminuer le nombre de ses crises de boulimie parce que ses parents étaient davantage présents, mais cela n'est pas suffisant pour expliquer qu'elle ait réussi à le faire. Par contre, la pensée de Chloé est complètement fausse puisqu'elle a déjà réussi à diminuer les laxatifs et à cesser les vomissements. Les pensées négatives sont considérées comme des vérités absolues par la personne atteinte d'un trouble du comportement alimentaire. Elles peuvent donc grandement influer sur ses émotions et ses comportements. Si Jeanne est convaincue qu'elle a réussi parce que ses parents étaient présents, elle mettra peut-être moins en application les stratégies qui l'ont aidée. Si Chloé est convaincue qu'elle ne s'en sortira jamais, elle sera sûrement très triste et découragée. Ainsi, elle aura peut-être tendance à tout laisser tomber et à recommencer à prendre des laxatifs régulièrement.

Le *but* de la thérapie cognitive est d'apprendre à la patiente à reconnaître ses pensées automatiques négatives pour ensuite les vérifier, les remettre en question, les modifier et les remplacer par des pensées plus réalistes. La thérapie cognitive permettra ainsi de diminuer le malaise d'abord et, par la suite, de modifier les émotions et les comportements qui y sont reliés. L'objectif n'est cependant pas de voir la vie en rose et d'éviter toute émotion négative, car ces dernières sont normales. Il s'agit plutôt de ne pas percevoir les événements neutres ou positifs comme s'ils étaient négatifs, mais de les percevoir de façon plus réaliste.

Au départ, il est difficile de repérer les pensées automatiques négatives puisqu'elles défilent rapidement. C'est une habileté qui s'acquiert et se maîtrise avec de la *pratique*. S'interroger lorsque l'on ressent un changement d'humeur constitue une bonne façon de commencer. Par exemple, Marie est calme et absorbée dans une tâche : peindre une toile. Elle se sent soudainement coupable et cesse de peindre. Elle prend alors le temps de se demander ce qui lui est venu en tête. Elle constate qu'elle s'est dit en elle-même qu'elle ne méritait aucunement de s'adonner à une activité agréable, qu'elle devrait plutôt faire de l'exercice pour dépenser les calories qu'elle a absorbées aujourd'hui au lieu de faire la paresseuse. Elle s'est également vue prendre énormément de poids. Ainsi, Marie a pu cerner sa pensée en étant à l'écoute de ses changements d'humeur. Lorsque l'on détecte de tels changements, souvent par des sensations physiques (serrement dans la poitrine, boule dans la gorge, etc.), on se pose les questions clés : « Qu'est-ce que je me suis dit ? », « Quelle image ai-je eue ? » Cela permet d'être à l'affût des mots et des images. Plus vous vous exercerez à mettre le doigt sur vos pensées automatiques négatives, plus vous les détecterez rapidement. Vous irez même jusqu'à en prendre conscience au moment où elles se manifesteront. Toutefois, faites attention à vos pensées en vous exerçant ! En effet, vous pourriez avoir tendance à vous dire : « Je n'y arriverai jamais, je suis trop nulle ! » Cela s'apprend avec de la pratique. Vous devez donc être indulgente envers vous-même. Que vous dites-vous en lisant ces lignes ? Quelle image avez-vous en tête ? Avez-vous des pensées automatiques négatives ?

Il est également important, en plus de discerner la pensée automatique négative, d'évaluer votre *degré de croyance* en cette pensée, sur une échelle de 0 à 100 %. Marie est convaincue de la véracité de sa pensée à 85 %. Une pensée à laquelle on croit à un degré élevé engendre une émotion beaucoup plus intense et se répète souvent. Il est donc généralement important de s'y attarder. De plus, cet exercice vous permettra de comparer le nouveau degré de croyance à l'ancien et ainsi de prendre conscience des progrès accomplis.

Reconnaître les émotions

Lorsque vous avez cerné une pensée, il est important de nommer l'émotion qui l'accompagne, puisque l'objectif est de diminuer votre détresse en modifiant vos pensées. Il peut cependant être difficile de reconnaître ses émotions. Pour faciliter cette opération, vous pouvez examiner l'encadré 12.1. Vous pouvez également associer à des situations déjà vécues une émotion précise. Cela vous donnera un cadre de référence pour cerner des émotions semblables. Par exemple, vous savez que lorsqu'une amie refuse votre invitation, vous vous sentez triste. Lorsque vous ressentirez une émotion semblable, il sera plus facile de l'identifier à de la tristesse. Une émotion se définit généralement en un mot (tristesse, colère, honte, culpabilité, etc.).

Lorsque l'émotion est identifiée et nommée, il est important de la quantifier, c'est-à-dire d'évaluer son intensité de 0 à 100 %. Plus l'émotion est intense, plus elle se rapproche de 100. Marie a jugé que la culpabilité qu'elle ressentait était tout de même assez intense, soit de 80 %. Cela permet d'évaluer l'effet d'une pensée, de déterminer son importance. Une pensée automatique négative qui engendre une émotion ayant une intensité de 25 % mérite peut-être moins d'attention ou est moins prioritaire que la culpabilité engendrée par la pensée de Marie. De plus, lorsque vous aurez refor-

ENCADRÉ 12.1
Façons de se sentir

Agressive	Déçue	Exaspérée	Honteuse	Jalouse	Soulagée
Amoureuse	Dégoûtée	Fâchée	Horrifiée	Joyeuse	Triste
Anxieuse	Désappointée	Fière	Humiliée	Nerveuse	Troublée
Apeurée	Embarrassée	Frustrée	Inquiète	Paniquée	
Blessée	Enragée	Furieuse	Insécure	Ravie	
Coupable	Envieuse	Heureuse	Irritée	Seule	

mulé une pensée plus réaliste, vous pourrez constater l'effet de la reformulation en comparant l'intensité des émotions.

Grille d'auto-enregistrement

La thérapie cognitive préconise des moyens très concrets pour vous aider à modifier vos pensées. La grille d'auto-enregistrement (voir le tableau 12.2) constitue l'outil principal dans cet exercice. Il est important de la remplir et ainsi de mettre par écrit vos pensées automatiques négatives et vos émotions. Cela vous donne l'occasion, dans un premier temps, de prendre un certain recul et de voir la situation plus clairement. Dans un deuxième temps, cela vous permet de modifier vos pensées. De plus, vous pourrez la consulter régulièrement. Il est primordial de remplir cette grille dès que vous notez la présence d'une pensée automatique négative, afin que son contenu soit le plus près possible de ce que vous vivez. En effet, si vous la remplissez le soir, après une journée de travail, la pensée automatique négative et l'émotion cernées dans la matinée risquent d'être beaucoup moins précises. L'efficacité de la méthode sera donc diminuée. Peut-être vous dites-vous qu'il est peu pratique de remplir une grille au travail, que vos collègues pourraient vous voir et vous questionner, ce que vous désirez éviter. Vous pouvez reproduire cette grille dans un petit carnet que

TABLEAU 12.2
Grille d'auto-enregistrement

Date et heure	Situation	Émotion Intensité (0-100 %)	Pensée Pourcentage de croyance (0-100 %)	Pensée plus adéquate Pourcentage de croyance (0-100 %)	Émotion Intensité (0-100 %)

vous mettrez dans votre sac à main, dans la poche de votre veste ou de votre pantalon, ce qui sera beaucoup plus discret.

Pour débuter, vous n'utiliserez que les quatre premières colonnes de la grille. Dans la première colonne, vous indiquez la date et l'heure. La deuxième colonne sert à décrire les situations. Ainsi, lorsque vous notez un changement d'humeur, inscrivez la situation associée. Y a-t-il eu un moment semblable pendant votre journée ? Quel événement y est relié ? Avec qui et où étiez-vous ? Soyez le plus précise possible. Après avoir absorbé des laxatifs, Chloé a eu des maux de ventre et a préparé une compresse d'eau chaude dans la salle de bain (voir le tableau 12.3). Myriam (que vous ne connaissez pas encore...) était au magasin et essayait des maillots de bain (voir le tableau 12.4). Essayez de nommer la situation dans le cas de Jeanne. Prenez aussi quelques minutes pour décrire une situation reliée à un changement d'humeur dans votre vie et inscrivez-la dans la grille d'auto-enregistrement, que vous aurez photocopiée au préalable. Il faut décrire la situation de la façon la plus objective possible ; n'indiquez donc pas vos impressions dans cette colonne. De plus, essayez d'être brève et précise.

Vous constaterez que la troisième colonne a trait aux émotions. Il est vrai que les pensées automatiques négatives engendrent des émotions. Comme les pensées automatiques défilent rapidement, ce sont les changements d'humeur qui vous permettent d'en prendre conscience. Il apparaît donc

TABLEAU 12.3
Grille de Chloé (1)

Date et heure	**Situation**	**Émotion Intensité (0-100 %)**	**Pensée Pourcentage de croyance (0-100 %)**
2001-09-14 14 h 15	J'ai pris des laxatifs, j'ai mal au ventre et je prépare une compresse d'eau chaude dans la salle de bain.		

TABLEAU 12.4
Grille de Myriam (1)

Date et heure	Situation	Émotion Intensité (0-100 %)	Pensée Pourcentage de croyance (0-100 %)
2001-10-25 19 h 00	J'essaie des maillots de bain dans un magasin.		

logique que vous inscriviez les émotions en premier pour ensuite vous questionner sur les pensées automatiques négatives. Plusieurs émotions peuvent être reliées à une même pensée. Chloé a ressenti de la tristesse. Myriam, quant à elle, s'est sentie triste, frustrée et désespérée. L'intensité de ces émotions est indiquée dans les tableaux 12.5 et 12.6. Essayez de discerner les émotions que vous-même avez ressenties. Quelle en était l'intensité ? Indiquez-les dans votre grille.

La quatrième colonne a trait aux pensées automatiques négatives. Reportez-vous à la situation que vous avez décrite précédemment. Quelle(s) pensée(s) automatique(s) négative(s) avez-vous eue(s) ? Que vous êtes-vous dit ? Quelle image avez-vous eue ? À quel degré croyez-vous à chacune

TABLEAU 12.5
Grille de Chloé (2)

Date et heure	Situation	Émotion Intensité (0-100 %)	Pensée Pourcentage de croyance (0-100 %)
2001-09-14 14 h 15	J'ai pris des laxatifs, j'ai mal au ventre et je prépare une compresse d'eau chaude dans la salle de bain.	Tristesse (90 %) Tristesse (100 %)	Je ne m'en sortirai jamais (85 %). Je ne suis bonne à rien (90 %).

TABLEAU 12.6
Grille de Myriam (2)

Date et heure	Situation	Émotion Intensité (0-100 %)	Pensée Pourcentage de croyance (0-100 %)
2001-10-25 19 h 00	J'essaie des maillots de bain dans un magasin.	Frustration (100 %) Désespoir (95 %) Frustration (90 %)	Je n'ai que de la graisse (100 %). Je suis obèse (90 %).
		Tristesse (95 %) Désespoir (100 %)	Je serai malheureuse toute ma vie (85 %).

de ces pensées ? Chloé se dit qu'elle ne s'en sortira jamais. Puis elle pense qu'elle n'est bonne à rien. Quant à Myriam, elle se dit qu'elle n'a que de la graisse, qu'elle est obèse et qu'elle sera malheureuse toute sa vie. Les pourcentages de croyance sont indiqués dans les tableaux 12.5 et 12.6. La grille comprend d'autres colonnes, mais il est d'abord important de bien maîtriser cette première partie. Nous vous recommandons de vous exercer quelques fois par jour, et ce jusqu'à ce que vous vous sentiez à l'aise avec ces outils.

Distorsions cognitives

Les pensées automatiques négatives sont basées sur des erreurs de raisonnement nommées distorsions cognitives (voir l'annexe 12.1 à la page 171). Une pensée automatique négative peut relever de plus d'une distorsion. Il peut être utile de déterminer le type de distorsion associé à chaque pensée automatique négative. En effet, cela peut vous permettre de prendre conscience que vous êtes soumise à un type de raisonnement plus fréquemment qu'à un autre. Quand vous avez déterminé vos distorsions, inscrivez-les dans la grille, à la suite de chaque pensée automatique négative. Les distorsions de Chloé et de Myriam sont indiquées dans les tableaux 12.7 et 12.8 (elles sont précédées de flèches).

TABLEAU 12.7
Grille de Chloé (3)

Date et heure	Situation	Émotion Intensité (0-100 %)	Pensée Pourcentage de croyance (0-100 %)
2001-09-14 14 h 15	J'ai pris des laxatifs, j'ai mal au ventre et je prépare une compresse d'eau chaude dans la salle de bain.	Tristesse (90 %)	Je ne m'en sortirai jamais (85 %).
		—▷ Tout-ou-rien —▷ Généralisation à outrance	
		Tristesse (100 %)	Je ne suis bonne à rien (90 %).
		—▷ Généralisation à outrance —▷ Raisonnement émotif —▷ Étiquetage	

TABLEAU 12.8
Grille de Myriam (3)

Date et heure	Situation	Émotion Intensité (0-100 %)	Pensée Pourcentage de croyance (0-100 %)
2001-10-25 19 h 00	J'essaie des maillots de bain dans un magasin.	Frustration (100 %) Désespoir (95 %)	Je n'ai que de la graisse (100 %).
		—▷ Filtre	
		Frustration (90 %)	Je suis obèse (90 %).
		—▷ Tout-ou-rien —▷ Étiquetage	
		Tristesse (95 %) Désespoir (100 %)	Je serai malheureuse toute ma vie (85 %).
		—▷ Raisonnement émotif —▷ Erreur de prévision	

Pouvez-vous trouver les distorsions de Jeanne et de Marie ? Pouvez-vous nommer la ou les distorsions associées à votre pensée automatique négative ? Inscrivez-les dans votre grille. Cette étape demande également de la pratique. Faites attention à vos pensées automatiques négatives ! N'exigez pas de vous la perfection.

Remettre en question les pensées automatiques négatives

Lorsque vous êtes en mesure de cerner vos pensées automatiques négatives, la prochaine étape consiste à les évaluer dans le but de les modifier. Afin de remettre en question la validité et la véracité de ces pensées, vous devez vous interroger sur les éléments qui les confirment et ceux qui les contredisent, et les noter. Il est essentiel que ces éléments soient des données objectives et non des impressions ou des interprétations. Prenons l'exemple des pensées de Chloé : « Je ne m'en sortirai jamais » (voir le tableau 12.9) et « Je ne suis bonne à rien » (voir le tableau 12.10).

TABLEAU 12.9
Remise en question de la pensée « Je ne m'en sortirai jamais »

Éléments qui la confirment	Éléments qui la contredisent
J'ai pris des laxatifs aujourd'hui.	J'ai réussi à maintenir mes acquis pendant un mois.
Je n'ai mangé que des légumes au souper.	J'ai été capable de diminuer la quantité de laxatifs graduellement, bien que je n'aie pas réussi chaque jour.
J'ai sauté deux repas la semaine dernière.	J'ai réussi à diminuer d'autres comportements compensatoires comme les vomissements.
J'ai remplacé deux repas par des desserts la semaine dernière.	Je me valorise davantage dans les autres sphères de ma vie tels les loisirs et les relations familiales.
	Je suis moins obsédée par la nourriture et le poids.

TABLEAU 12.10
Remise en question de la pensée « Je ne suis bonne à rien »

Éléments qui la confirment	Éléments qui la contredisent
J'ai rechuté quant à la prise de laxatifs. Je n'ai pas de petit ami. Je n'ai que deux amies et je leur ai peu parlé ces derniers temps. Mes notes au cégep sont dans la moyenne.	Je me suis beaucoup améliorée quant aux symptômes de mon trouble des conduites alimentaires. Mes amies me disent qu'elles m'apprécient. J'ai des qualités : je suis dynamique, engagée, honnête, respectueuse. J'ai eu une bonne évaluation de mon superviseur lors de mon stage. J'ai réussi tous mes cours jusqu'à maintenant.

Vous constaterez peut-être que certains éléments qui se trouvent dans la première colonne ne signifient pas nécessairement que Chloé n'est bonne à rien. Ces renseignements seront repris lorsque Chloé formulera la nouvelle pensée. De plus, Chloé s'est limitée à des faits objectifs. Elle n'a pas écrit, par exemple, qu'elle se trouvait laide, ce qui peut être discutable. Le fait d'inscrire des impressions ou des opinions plutôt que des énoncés objectifs peut constituer un piège. Vous devez donc être vigilante. Si vous avez de la difficulté à trouver des arguments, voici deux questions qui peuvent vous aider :

– Si un ami entendait cette pensée, que vous dirait-il ?
– Si un ami avait cette pensée, que lui diriez-vous ?

Quant à Myriam, elle s'est dit : « Je n'ai que de la graisse ». Voici les preuves qu'elle a trouvées (voir le tableau 12.11).

Notez que Myriam n'a pas inscrit que le maillot ne lui allait pas bien ou qu'elle se sentait grosse, puisque ce sont des impressions et non des données objectives. Quels sont les éléments qui confirment ou contredisent la pensée automatique négative que vous avez énoncée ? Essayez de vérifier sa validité en utilisant les questions mentionnées précédemment.

TABLEAU 12.11
Remise en question de la pensée « Je n'ai que de la graisse »

Éléments qui la confirment	Éléments qui la contredisent
Mes vêtements sont trop petits. J'ai des bourrelets. J'ai de la difficulté à trouver des vêtements qui me vont dans certaines boutiques.	J'ai aussi des os, des muscles, etc. J'ai un indice de masse corporel normal. J'ai un pourcentage de gras qui correspond à la normale pour une femme de mon âge, de ma grandeur et de ma stature. Mon petit ami me dit que je suis belle. Mon petit ami me trouvait trop maigre avant que je prenne du poids.

Formuler une pensée plus adéquate

La dernière étape consiste à formuler une nouvelle pensée à l'aide, entre autres, de ce que vous avez inscrit à l'étape précédente. La nouvelle pensée peut parfois être complètement à l'opposé de la pensée automatique négative ou être seulement plus nuancée. Comme la nouvelle pensée est construite à partir de ce que vous avez noté comme éléments qui confirment ou contredisent la pensée négative, il est primordial que ces renseignements soient objectifs et réalistes. De plus, une pensée positive qui ne tiendrait pas compte de la réalité ne serait pas convaincante et n'aurait aucun effet sur votre humeur. Par exemple, il ne serait pas utile pour Myriam de se dire qu'elle est la plus belle fille en ville, la mieux proportionnée et qu'elle se sent très bien dans sa peau. L'objectif n'est pas de vous faire voir la vie en rose, mais plutôt de vous amener à considérer les choses de façon plus réaliste. La nouvelle pensée de Chloé pourrait être la suivante : « Le fait que j'ai pris des laxatifs aujourd'hui ne signifie pas que je ne m'en sortirai jamais. J'ai vécu la même chose lorsque j'ai diminué les vomissements, et j'ai finalement réussi à les interrompre. » Chloé inscrira donc cette nouvelle pensée dans la cinquième colonne de la grille (voir le tableau 12.12). On aurait aussi pu formuler la nouvelle pensée de Chloé différemment. L'important est que cela soit

TABLEAU 12.12
Grille de Chloé (4)

Date et heure	Situation	Émotion Intensité (0-100 %)	Pensée Pourcentage de croyance (0-100 %)	Pensée plus adéquate Pourcentage de croyance (0-100 %)	Émotion Intensité (0-100 %)
2001-09-14 14 h 15	J'ai pris des laxatifs, j'ai mal au ventre et je prépare une compresse d'eau chaude dans la salle de bain.	Tristesse (90 %)	Je ne m'en sortirai jamais (85 %).	Le fait que j'ai pris des laxatifs aujourd'hui ne signifie pas que je ne m'en sortirai jamais. J'ai vécu la même chose lorsque j'ai diminué les vomissements, et j'ai finalement réussi à les interrompre. (75 %)	Tristesse (40 %)

réaliste. Comment reformuleriez-vous la deuxième pensée de Chloé à partir des éléments pour et contre qu'elle a trouvés ? Et celle de Myriam ? Et la vôtre ?

Voici quelques questions qui vous aideront à formuler une pensée plus adéquate :

- Dans le passé, avez-vous vécu une situation semblable, mais dont la conclusion a été différente ? (« Lorsque j'ai diminué les vomissements, j'ai eu des périodes plus difficiles pendant lesquelles la fréquence augmentait, mais j'ai tout de même réussi à interrompre ce comportement. »)
- Y a-t-il une autre explication possible ? (« L'abstinence demande du temps. C'est normal d'avoir des périodes plus difficiles et cela fait partie du processus de guérison. »)
- Quelle est la pire conséquence qui pourrait arriver ? (« Que je recommence à prendre des laxatifs régulièrement, que je sois hospitalisée. »)
- Quelle est la probabilité (de manière réaliste) que l'événement craint se produise ? (« Il est peu probable que je recommence à prendre des laxatifs régulièrement si je continue à appliquer les stratégies qui m'aident. »)
- Si le pire se produisait, quelle en serait la conséquence ? Objectivement, est-ce que ce serait si dramatique ? (« Cela serait sûrement difficile, mais je pourrais aller chercher de l'aide. Il y a toujours de l'espoir. »)
- Qu'est-ce qui pourrait arriver de mieux ? (« Que je continue à ne pas prendre de laxatifs et que je règle mon problème de boulimie. »)
- Qu'est-ce qui est le plus réaliste et le plus probable entre la pire situation et la meilleure ? (« Que je m'en sorte mais de manière graduelle, avec des hauts et des bas. »)

Lorsque vous avez formulé la nouvelle pensée, vous indiquez le pourcentage de croyance en cette pensée. Par la suite, vous évaluez l'intensité actuelle de l'émotion qui était associée à la pensée automatique négative. Lorsque vous énoncez une pensée plus adéquate, l'émotion ressentie est-elle aussi intense ? Chloé se sent beaucoup moins triste lorsqu'elle formule la réponse plus réaliste. Qu'en est-il pour vous ?

Il est possible, et même fortement probable, que la réponse plus réaliste ne vous convainque pas tout de suite. Mais avec de la pratique c'est-à-dire en cernant et en remettant en question vos pensées automatiques négatives, vous augmenterez votre habileté à générer des perceptions plus réalistes. Il est donc important que vous fassiez l'exercice de restructuration cognitive régulièrement, en vous concentrant sur ce que cela signifie. La nouvelle réponse remplacera graduellement, avec de la pratique, la pensée automatique négative.

Si la nouvelle pensée n'amène aucun soulagement, il est possible que ce soit parce qu'elle correspond à une croyance centrale sous-jacente. Par exemple, Myriam se dit qu'elle est grosse. Lorsqu'elle modifie sa pensée, elle ne se sent aucunement soulagée, malgré les éléments pour et contre qu'elle a trouvés. En y pensant bien, elle constate qu'elle a peur d'être rejetée par ses proches s'ils la trouvent grosse. Elle remettra donc aussi en question la validité de cette croyance. Cela pourrait aussi être dû au fait que les éléments pour et contre qu'elle a relevés ne sont pas réalistes ou objectifs (essayez de les réviser, montrez-les à un proche) ou qu'il n'y a pas suffisamment de faits qui appuient la pensée plus adéquate (pouvez-vous en trouver d'autres ?).

CROYANCES CENTRALES

Les croyances centrales sont globales, générales et absolues (« L'anorexie est la seule façon d'être unique », « L'anorexie constitue mon identité, sans cela je ne suis rien », « La restriction est ma seule façon de prouver que je suis capable de réussir quelque chose dans la vie »). La deuxième pensée de Chloé est une croyance centrale (« Je ne suis bonne à rien »). Les pensées automatiques négatives découlent des croyances centrales, qui sont de trois types :

- Elles portent le plus fréquemment sur soi (« Je dois avoir des règles rigides, sinon je vais perdre le contrôle et ma vie sera un échec ») ;

– Elles peuvent aussi se rapporter aux autres : (« Personne ne veut de quelqu'un qui a un surplus de poids comme ami ») ;
– Elles peuvent également porter sur le monde en général (« Dans la société, il n'y a de la place que pour les personnes minces »).

Les croyances centrales sont bien ancrées, donc plus longues à modifier. C'est la raison pour laquelle il est possible que vous ne ressentiez que très peu de soulagement, même si votre pensée plus adéquate est le résultat d'éléments à l'appui très convaincants.

Afin d'avoir accès aux croyances centrales, la technique de la flèche descendante (Burns, 1994) [voir la figure 12.1] s'avère très utile. Il s'agit, pour chaque affirmation, de se demander : « Si c'était vrai, qu'est-ce que cela signifierait pour moi ? » Prenons l'exemple de Suzanne, qui s'oppose à toute suggestion pour augmenter son apport alimentaire, qui est nettement insuffisant, car cela la terrorise. Elle a peur de perdre le contrôle et de s'empiffrer si elle essaie de manger un peu plus à l'heure du souper. Avec l'aide de son thérapeute, elle a modifié cette pensée en remettant en question sa validité, en évaluant la probabilité que cela survienne, etc. Afin de découvrir sa croyance centrale, le thérapeute a utilisé la technique de la flèche descendante.

FIGURE 12.1
Technique de la flèche descendante

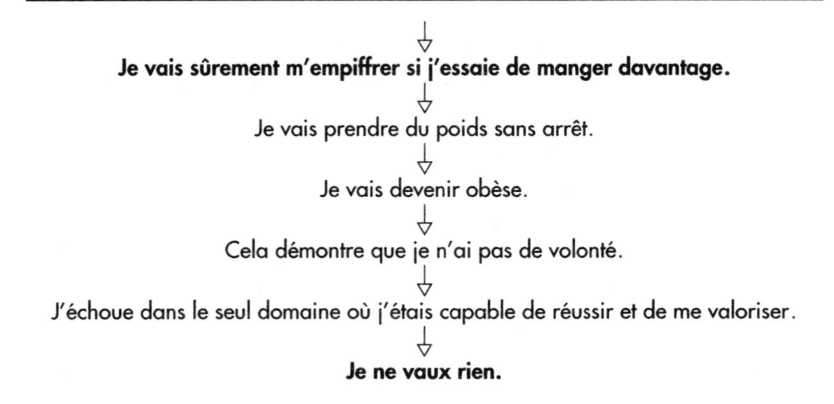

Il est ainsi plus facile de comprendre que Suzanne panique à l'idée de manger davantage. Cet exercice mène à une croyance centrale (« Je ne vaux rien ») qui est aussi sous-jacente à plusieurs distorsions cognitives et, par conséquent, à plusieurs pensées automatiques négatives. Les livres de Beck (1995) et de Greenberger et Padesky (1995) traitent davantage de ce sujet, fondamental en thérapie cognitive.

VÉRIFICATION DES HYPOTHÈSES

Il peut s'avérer utile de vérifier certaines pensées automatiques négatives dans la réalité pour les infirmer ou pour confirmer les pensées plus adéquates. Par exemple, Judith est très isolée depuis qu'elle souffre de boulimie. Elle ne téléphone pas à ses amies parce qu'elle est convaincue qu'elles ne la trouveront pas intéressante et s'ennuieront avec elle. Il serait bien que Judith entre en contact avec quelques amies et leur demande de faire une activité avec elles. Cela lui permettrait de conclure qu'elles s'intéressent probablement à elle si elles acceptent. Toutefois, il est important que Judith ne conclue pas que ses amies ne l'aiment pas si elles refusent. Il faut considérer les autres hypothèses (peut-être ont-elles autre chose de prévu). Si les refus persistent, Judith pourrait clarifier la question avec ses amies avant de conclure qu'elle est rejetée. Christine, quant à elle, croit qu'elle ne pourra jamais se trouver un emploi de secrétaire parce qu'elle n'a pas la taille d'un mannequin (elle a pourtant un poids santé). Il serait donc intéressant que, tout en travaillant sur cette pensée automatique négative, elle entreprenne des démarches pour se trouver un emploi. Il est toutefois essentiel que le thérapeute révise quelques notions de base avec elle au préalable (comment se présenter, etc.), si cela est nécessaire, et qu'ils revoient ensemble le processus par étapes si Christine n'a pas fait ce genre de démarche depuis longtemps. Comme nous l'avons mentionné précédemment, il est également important d'envisager les scénarios possibles et probables. Par exemple, si Christine ne trouve pas d'emploi instantanément, est-ce que cela confirme que c'est parce qu'elle est trop grosse ?

Des techniques telles que la résolution de problème, l'affirmation de soi, l'évaluation des avantages et des inconvénients de l'anorexie ou de la guérison, les jeux de rôle, la planification d'activités, la visualisation, etc., peuvent également s'avérer très utiles. Nous n'abordons pas ces techniques dans le présent chapitre, car elles en dépassent le cadre. Toutefois, le lecteur peut consulter à ce sujet les ouvrages recommandés dans les lectures suggérées à la page 199.

En conclusion, les personnes souffrant d'un trouble des conduites alimentaires sont aux prises avec plusieurs pensées automatiques négatives, ce qui contribue à maintenir les difficultés vécues. La thérapie cognitivo-comportementale permet notamment de remplacer ces pensées par d'autres pensées fondées sur des faits concrets et objectifs. Comme les pensées automatiques négatives influent sur l'humeur et les comportements, des pensées adéquates devraient engendrer des émotions et des comportements plus sains et moins dévalorisants. La thérapie cognitive demande beaucoup d'entraînement. Il est donc essentiel de faire les exercices suggérés dans ce chapitre en plus de se familiariser avec la technique en utilisant régulièrement la grille d'auto-enregistrement (voir l'annexe 12.1). Il est normal d'éprouver quelques difficultés au départ. Mais avec de la patience et de la persévérance, cette méthode devrait vous aider à àméliorer votre estime de vous-même.

Remerciements

Je tiens d'abord à remercier Guy Pomerleau, qui m'a offert l'occasion d'écrire ce chapitre. Je désire aussi souligner la générosité de Jilda Dumont, qui n'a pas hésité à consacrer du temps à la lecture de celui-ci et qui m'a fait de judicieuses suggestions. Je remercie également mes collègues Carole Ratté, Audrey Brassard, Dominique Sénéchal et Natalie Saint-Jacques pour leurs précieux commentaires. Merci aussi à Dave Shepherd et à Hélène Gagnon pour leurs conseils et leur encouragement.

ANNEXE 12.1
Grille d'auto-enregistrement

Date et heure	Situation	Émotion Intensité (0-100 %)	Pensée Pourcentage de croyance (0-100 %)	Pensée plus adéquate Pourcentage de croyance (0-100 %)	Émotion Intensité (0-100 %)

ANNEXE 12.2
Distorsions cognitives

1. LE TOUT-OU-RIEN

Votre pensée n'est pas nuancée. Vous classez les choses en deux seules catégories : les bonnes et les mauvaises. En conséquence, si votre performance laisse à désirer, vous considérez votre vie comme un échec total.

« J'ai mangé un aliment interdit ce matin. Ma journée est complètement gâchée ! Aussi bien continuer et faire une crise de boulimie. »

2. LA GÉNÉRALISATION À OUTRANCE

Un seul événement malheureux vous apparaît comme faisant partie d'un cycle sans fin d'échecs.

« Si je prends du poids actuellement et que je mange presque normalement, je vais prendre du poids sans arrêt et devenir obèse. »

3. LE FILTRE

Vous choisissez un aspect négatif et vous vous attardez à un tel point à ce petit détail que toute votre vision de la réalité en est faussée, tout comme une goutte d'encre qui vient teinter un plein contenant d'eau.

« Mon ventre est rond. Je suis difforme. »

4. LE REJET DU POSITIF

Pour toutes sortes de raisons, en affirmant qu'elles ne comptent pas, vous rejetez toutes vos expériences positives. De cette façon, vous préservez votre image négative des choses, même si elle entre en contradiction avec votre expérience de tous les jours.

À la suite d'un commentaire d'une amie qui dit : « Merci de m'avoir aidée à faire mon exercice de français. C'est très gentil », vous répondez : « Oh non, ce n'est rien. C'est très facile pour moi et je n'avais rien à faire ce soir de toute façon. »

5. LES CONCLUSIONS HÂTIVES

Vous arrivez à une conclusion négative même si aucun fait précis ne peut confirmer votre interprétation.

a) L'interprétation indue : Vous décidez arbitrairement que quelqu'un a une attitude négative à votre égard et vous ne prenez pas la peine de voir si c'est vrai.

« Cette femme me regarde dans l'autobus. Je suis convaincue qu'elle trouve que j'ai l'air stupide et que je suis laide. »

b) L'erreur de prévision : Vous prévoyez le pire et vous êtes convaincue que votre prédiction est déjà confirmée par les faits.

« Je suis convaincue que je serai célibataire toute ma vie puisque je n'ai jamais eu de petit ami. »

6. L'EXAGÉRATION (LA DRAMATISATION) ET LA MINIMISATION

Vous amplifiez l'importance de certaines choses (comme vos bévues ou le succès de quelqu'un d'autre) et vous minimisez l'importance d'autres choses jusqu'à ce qu'elles vous semblent toutes petites (vos qualités ou les imperfections de votre voisin, par exemple). Cette distorsion s'appelle aussi « le phénomène de la lorgnette. »

« Toutes les filles de ma classe sont minces et bien dans leur peau. Je ne leur arrive pas à la cheville. »

7. LES RAISONNEMENTS ÉMOTIFS

Vous présumez que vos sentiments les plus sombres reflètent nécessairement la réalité des choses : « C'est ce que je ressens, cela doit donc évidemment correspondre à la réalité. »

« Je me sens laide, grosse et stupide, cela signifie donc que je suis laide, grosse et stupide. »

8. LES « DOIS » ET LES « DEVRAIS »

Vous essayez de vous motiver par des « je devrais » ou des « je ne devrais pas » comme si, pour vous convaincre de faire quelque chose, il fallait vous battre ou vous punir. Ou par des « je dois ». Et cela suscite chez vous un sentiment de culpabilité. Quand vous attribuez des « ils doivent » ou « ils devraient » aux autres, vous éveillez chez vous des sentiments de colère, de frustration et de ressentiment.

« Avant de déjeuner, je dois absolument me laver, me coiffer, me brosser les dents et faire mon lit. »

9. L'ÉTIQUETAGE ET LES ERREURS D'ÉTIQUETAGE

Il s'agit là d'une forme extrême de généralisation à outrance. Au lieu de qualifier votre erreur, vous vous apposez une étiquette négative : « Je suis une perdante. » Et quand le comportement de quelqu'un d'autre vous déplaît, vous lui accolez une étiquette négative : « C'est une vraie folle. » Les erreurs d'étiquetage consistent à décrire les choses à l'aide de mots très colorés et chargés d'émotion.

« Je suis une grosse truie que l'on engraisse. »

10. LA PERSONNALISATION

Vous vous considérez responsable d'un événement fâcheux dont, en fait, vous n'êtes pas le principal responsable.

« Mon père était de mauvaise humeur en lisant le journal ce matin ; j'ai sûrement fait quelque chose qui l'a mis en colère. »

Source : David Burns, *Être bien dans sa peau*, Les Éditions Héritage inc., 1994. Version originale : William Morrow & Company Inc. Publisher.

CHAPITRE 13

Hospitalisation et programme de jour

Sommaire

INDICATIONS D'HOSPITALISATION

Il arrive que le traitement ambulatoire soit insuffisant et qu'il faille recourir à une approche plus encadrée, ce qui nécessitera une hospitalisation. Les principales indications de l'hospitalisation figurent dans l'encadré 13.1.

Lorsque le poids se situe à 75 % ou moins du poids normal et qu'il n'y a pas eu d'amélioration malgré le suivi régulier de la patiente, il est rare qu'un traitement ambulatoire donne des résultats. L'hospitalisation s'avère alors nécessaire. Il en est de même quand apparaissent des complications médicales telles qu'un rythme cardiaque inférieur à 40 pulsations par minute, une hypothermie, un déséquilibre électrolytique ou un état de déshydratation.

Il arrive qu'on ait besoin de recourir à l'hospitalisation parce que la jeune fille n'est plus capable de prendre soin d'elle-même, de planifier adéquatement ses journées et, surtout, de subvenir à ses besoins de base : alimentation, repos, sommeil, etc. Elle a perdu la maîtrise des éléments essentiels de sa vie, et cela se manifeste généralement par la désorganisation de ses tâches quotidiennes.

ENCADRÉ 13.1
Indications d'hospitalisation

- Poids inférieur à 75 % du poids normal
- Échec du traitement ambulatoire après trois mois
- Rythme cardiaque inférieur à 40 ou supérieur à 110 pulsations par minute
- Hypothermie (température inférieure à 36 °C)
- Hypokaliémie sévère (baisse du taux de potassium sanguin)
- Déshydratation
- Incapacité de prendre soin de soi-même
- Besoin de supervision étroite pendant les repas
- Conflit familial grave
- Dépression avec idées suicidaires
- Crises de boulimie sévères et très fréquentes (plus d'une par jour)

Les troubles des conduites alimentaires peuvent donner lieu à des crises familiales importantes. La tension s'installe, toute la vie familiale devient axée sur la problématique de la jeune fille et la famille est proche de l'éclatement. Il est alors essentiel de retirer la jeune fille de son milieu. Ce retrait a une fonction thérapeutique tant pour celle-ci que pour sa famille.

Il n'est pas rare qu'un autre problème psychiatrique, en particulier la dépression et les troubles obsessionnels-compulsifs, s'ajoute à l'anorexie. Lorsque ces problématiques s'aggravent, l'hospitalisation est indiquée.

On doit présenter le séjour à l'hôpital à la jeune fille et à sa famille comme une occasion permettant à la première de se ressaisir petit à petit. On lui explique qu'elle a perdu le contrôle d'elle-même et de sa maladie, et que c'est maintenant l'anorexie ou la boulimie qui a pris le dessus et qui régit sa vie. La patiente doit accepter, pour un moment, d'être prise en charge par une équipe traitante qui structurera l'horaire de ses repas et de ses repos, qui harmonisera avec son aide ses comportements alimentaires déséquilibrés pour finalement l'amener progressivement à se prendre de nouveau en main.

TRAITEMENT HOSPITALIER

Le traitement en milieu hospitalier comprend une rééducation nutritionnelle ainsi qu'un volet psychoéducatif et psychothérapique. La rééducation nutritionnelle se fera en collaboration avec le médecin et la nutritionniste. Elle consiste en l'élaboration d'une diète qui se situera initialement entre 1 200 et 1 500 calories par jour et qui augmentera progressivement en fonction du rythme de la prise de poids. La jeune fille aura une chambre privée et n'aura pas accès au cabinet de toilette. Elle devra se reposer dans sa chambre pendant une heure et demie après chaque repas.

On fixera le poids que devra atteindre la patiente avant d'avoir son congé de l'hôpital ; il se situe habituellement entre 90 et 100 % du poids idéal. La jeune fille sera pesée hebdomadairement, et l'objectif visé quant à l'augmentation de poids sera de un kilo par semaine. Si la patiente vit des situations conflictuelles graves avec sa famille ou son entourage, on limitera, au début, les visites ainsi que les contacts téléphoniques, cela dans le but de laisser un répit aux uns et aux autres, et surtout de permettre à la jeune femme de prendre une distance psychologique par rapport à ce qu'elle vit. Les repas auront lieu sous la surveillance du personnel infirmier, qui verra à rassurer la patiente au sujet de ses craintes et à créer une atmosphère de détente.

Au début de la phase de réalimentation, on surveillera certains paramètres biomédicaux. Il arrive que des patientes, particulièrement celles qui se sont très mal nourries et qui ont perdu un poids considérable, souffrent du syndrome de « renutrition », dont la principale conséquence est un affaissement du système cardiovasculaire, qui apparaît au début de la phase de la réalimentation. La masse cardiaque étant réduite à cause de la malnutrition, le cœur a de la difficulté à faire face à l'augmentation du volume circulatoire sanguin associée à la reprise de l'alimentation. Cela peut conduire à une insuffisance cardiaque. Dans ce cas, les éléments à surveiller quotidiennement pendant la première semaine et une fois par semaine par la suite sont les électrolytes (Na, K, Cl) et le phosphore sanguins.

Chez les jeunes femmes anorexiques gravement atteintes, la diète fournira au début environ 30 calories par kilogramme et augmentera de plus de 300 calories une fois par semaine, selon la prise de poids. Habituellement, le métabolisme des jeunes femmes extrêmement amaigries est inefficace, et il est souvent nécessaire de leur faire absorber 3 500 calories par jour afin qu'elles atteignent l'objectif qui consiste pour elles à gagner un kilo par semaine. Si la jeune femme ne parvient pas à manger l'ensemble de son repas, on lui donnera des suppléments nutritionnels liquides (Ensure, Boost, Ressource, etc.), qui l'aideront à atteindre le nombre de calories qu'elle doit absorber. L'infirmière évaluera à la fin de chaque repas la quantité de suppléments nutritionnels dont la patiente a besoin. Généralement, ces suppléments contiennent une calorie par millilitre et sont présentés en boîte de 250 millilitres.

Pendant la phase de la réalimentation, il faut surveiller l'apparition d'œdème, principalement aux membres inférieurs, ainsi que les douleurs abdominales, qui peuvent nécessiter l'emploi d'une médication (voir le chapitre 15).

PRIVILÈGES

Certains programmes hospitaliers intègrent dans leurs soins une approche comportementale en accordant des privilèges aux patientes pour chaque kilo gagné. À titre d'exemple, le nombre de téléphones, de visites, de sorties hors de la chambre ou à l'extérieur de l'hôpital augmentera progressivement et incitera à la prise de poids ou la renforcera. Il est essentiel, si un tel programme existe, de bien expliquer ses raisons d'être et de ne pas le réduire à l'obtention de privilèges.

VOLET PSYCHOTHÉRAPIQUE

Pendant l'hospitalisation, on offre un programme psychoéducatif de groupe aux jeunes filles atteintes de troubles de l'alimentation. Généralement, on ajoutera chaque semaine au traitement et à la rééducation nutritionnelle deux entrevues de psychothérapie individuelle et une ou deux séances en groupe. L'approche demeure la même que celle que nous avons décrite pour le traitement ambulatoire, sauf qu'elle est plus intense.

HOSPITALISATION CONTRE LE GRÉ DE LA PERSONNE (GARDE EN ÉTABLISSEMENT)

Les situations qui justifient une hospitalisation contre le gré de la personne qui souffre d'un trouble des conduites alimentaires sont les suivantes :

- Amaigrissement grave (perte de 40 % du poids, par exemple) et rapide qui met en jeu la vie de la personne ;
- Complications médicales : rythme cardiaque très ralenti (moins de 40 pulsations par minute), baisse du potas-

sium sérique (risque de trouble du rythme cardiaque), pertes de conscience, convulsions, affaiblissement marqué ;

– Risque suicidaire.

Pour hospitaliser une jeune fille contre son gré, la famille doit présenter une requête en vue d'obtenir du juge une ordonnance d'évaluation clinique psychiatrique. Il suffit que les parents décrivent au juge les comportements inquiétants et dangereux de leur fille tout en mentionnant qu'elle refuse de se faire soigner. La jeune fille sera alors amenée à l'hôpital pour évaluation psychiatrique. À la suite de son examen, le psychiatre pourra estimer que le danger est assez grand pour obliger l'hospitalisation et demander une ordonnance de garde en établissement. La Loi de la protection des personnes dont l'état mental représente un danger pour elles-mêmes ou pour autrui permet d'hospitaliser contre leur gré ces personnes. Dans des cas exceptionnels d'anorexie mentale, il y a lieu de recourir à cette procédure. Il ne faut pas confondre la procédure de la requête pour examen psychiatrique et celle de garde en établissement. Il est à noter que l'ordonnance de garde en établissement ne permet pas de traiter et de nourrir la personne contre son gré.

NUTRITION FORCÉE

Il arrive très rarement qu'il faille recourir à une alimentation par tube nasogastrique ou à une hyperalimentation intraveineuse. Il s'agit d'une situation délicate dans laquelle il faut avoir l'assentiment de la personne ou une autorisation légale. On y aura recours si la vie de la patiente est menacée, si son poids se situe en dessous de 60 % du poids normal et si elle est incapable d'évaluer la gravité de son état, la maladie l'amenant à la nier. Dans ces circonstances, elle n'a plus la capacité de consentir de façon éclairée à son traitement, car elle est obnubilée par sa conviction d'être trop grosse et sa peur d'engraisser. C'est le centre hospitalier et le médecin traitant qui doivent présenter à la cour une requête pour obtenir une ordonnance de traitement.

PROGRAMME DE JOUR

Le programme de jour est en réalité une forme d'hospitalisation à temps partiel. Ces programmes, offerts dans les centres de traitement spécialisés dans les troubles des conduites alimentaires, sont d'une durée de quatre à cinq jours par semaine et comportent des activités de groupe : rééducation nutritionnelle, repas, psychoéducation, psychothérapie axée sur des problématiques telles que l'estime de soi ou les relations interpersonnelles.

Ces programmes s'adressent à la plupart des jeunes femmes dont les troubles des conduites alimentaires nécessitent une approche plus structurée qu'une rencontre hebdomadaire en clinique externe. Ils se déroulent habituellement sur une période de trois mois et constituent une approche multifactorielle très valable. Les soins font intervenir une équipe multidisciplinaire composée d'un(e) psychiatre, d'une psychologue, d'une travailleuse sociale, d'une ergothérapeute, d'une nutritionniste et d'une infirmière. Le traitement en programme de jour est complété par un suivi en thérapie individuelle.

Le programme de jour peut être aussi un excellent lieu de transition pour les patientes qui ont été hospitalisées et qui doivent consolider leurs acquis. Il offre un soutien et un encadrement qui facilitent le passage du milieu structuré que représente l'hôpital à l'autonomie qu'exige le suivi externe.

Les objectifs du programme de jour sont les suivants :

- Aider les participantes à structurer leurs habitudes alimentaires ;
- Favoriser un gain de poids ou son maintien ;
- Informer les patientes sur les troubles de l'alimentation ;
- Aider les participantes à adopter des attitudes propres à atténuer les éléments qui perpétuent le trouble des conduites alimentaires ;
- Permettre aux jeunes femmes d'améliorer leur estime de soi ;
- Favoriser le maintien et la généralisation des acquis dans le quotidien.

Programme de jour de l'Unité des troubles des conduites alimentaires du Centre hospitalier universitaire de Québec (CHUQ)

Le programme que nous décrivons à titre d'exemple est le Programme de traitement des troubles des conduites alimentaires du CHUQ. Il reçoit un groupe d'environ huit personnes. Celles-ci s'engagent à participer activement à toutes les rencontres prévues pendant la durée du programme, qui a lieu trois, quatre, ou cinq jours par semaine pendant 12 semaines, de 9 h à 14 h 30. (Idéalement, ce programme devrait être offert cinq jours par semaine.)

Chaque jour, on sert une collation et un dîner. Les menus sont planifiés par la diététiste. Les jeunes filles participent à l'achat de la nourriture et à la préparation des repas. De plus, elles doivent préparer et consommer les repas selon certaines règles. Celles-ci visent l'élimination des divers rituels caractéristiques des troubles de l'alimentation. Le fait de prendre part à ces activités diminue l'anxiété qui y est associée et facilite le maintien ainsi que la généralisation des acquis. En outre, on pèse les participantes chaque semaine dans le but de détecter toute perte de poids et d'en discuter. Une thérapeute aide les jeunes filles à établir un objectif personnel hebdomadaire qui soit réaliste et mesurable, et qui est relié à leur maladie.

D'une manière plus précise, la nutritionniste examine avec les participantes le contenu de leur journal alimentaire et les aide à modifier leur façon de manger et les perceptions qui y sont associées. Elle dirige également des ateliers d'éducation nutritionnelle au cours desquels les jeunes filles rectifient leurs fausses conceptions sur divers aspects de la nutrition tels les besoins énergétiques, le métabolisme et la planification des repas. Dans la même optique, la psychologue et l'infirmière coaniment un atelier de psychoéducation. L'objectif général de ce dernier est d'aider les participantes à comprendre les causes et les conséquences des troubles de l'alimentation sur les plans psychologique, physique et social. La psychologue dirige un groupe de psychothérapie, qui favorise la discussion sur les difficultés qu'éprouvent les jeunes femmes ainsi que la reconnaissance et l'expression des émotions. La travailleuse sociale anime un atelier portant sur la connaissance de soi et qui vise l'amélioration de l'estime de soi et de l'affirmation de soi ainsi que l'expression et la gestion des émotions. Quant à l'ergothérapeute, elle anime un atelier qui, à l'aide d'activités de collages (avec des photos de magazines), de fabrication de masques et d'expression corporelle, permettra aux participantes de reprendre contact avec leur corps et leurs émotions.

Le programme de jour aborde donc les dimensions biologiques, psychologiques et sociales des troubles de l'alimentation. De plus, il permet aux participantes d'affronter leur peur concernant l'absorption d'aliments dans un milieu sécurisant et il facilite le maintien et la généralisation des acquis.

CHAPITRE 14

Prisonnière de la maladie

Rédigé en collaboration avec
Carole Ratté, M.D. *

* Professeure agrégée de clinique du Département de psychiatrie de l'Université Laval et responsable du Programme d'intervention et de traitement des troubles des conduites alimentaires au Centre hospitalier universitaire de Québec.

De 20 à 30 % des personnes anorexiques ne guérissent pas et n'améliorent pas leur situation. Certaines jeunes femmes restent gravement handicapées par leurs symptômes anorexiques : leur poids demeure sous la normale, elles n'ont plus de règles et leur vie est centrée sur leurs rituels et leurs obsessions relatifs à la nourriture, tandis que d'autres en meurent.

Même chez les patientes anorexiques qui évoluent bien, la guérison est un processus lent qui s'étend sur plusieurs années. L'étude de Strober, Freeman et Morrell (1997) montre que la guérison survient en moyenne entre cinq et six ans et demi après le début du traitement. Il n'est donc pas question de considérer une jeune femme comme atteinte de façon chronique avant plusieurs années et plusieurs essais thérapeutiques. Cependant, lorsque la chronicité survient, tant la famille que l'équipe soignante sont amenées à faire un constat : la jeune femme est devenue prisonnière de sa maladie. On ne doit pas envisager cette situation de façon différente de celle des personnes atteintes d'une maladie physique chronique, que ce soit un diabète sévère ou un cancer qui évolue lentement. L'approche de l'équipe soignante et de l'entourage de ces patientes doit comporter certaines règles.

EXEMPLE CLINIQUE

Magalie, 24 ans

Magalie a 24 ans et elle est sans emploi. Elle est devenue anorexique à l'âge de 14 ans. Depuis le début de sa maladie, elle a été hospitalisée à huit reprises dans différents milieux, dont deux spécialisés dans le traitement des troubles des conduites alimentaires. La plupart des hospitalisations ont été longues et lui ont été imposées. Le plus souvent, elle a quitté prématurément les établissements où elle se trouvait, contre l'avis de l'équipe traitante et avant d'avoir atteint le poids requis (mais en étant hors de danger). Ces hospitalisations ont été très pénibles, Magalie négociant sans arrêt le plan de soins.

Comme elle se faisait vomir régulièrement, sa maladie s'est compliquée de plusieurs façons : hypoglycémie, troubles électrolytiques, bradycardie, hypotension et ostéoporose.

La jeune fille, dont la taille est de 1,58 m (5 pi 3 po), pesait 27,5 kilos (60 lb) lors de sa dernière hospitalisation. Elle avait de la difficulté à tenir sur ses jambes, ses muscles étaient atrophiés et sa température corporelle était de 36 °C. (96,8 °F). Malgré une évolution positive mais lente au cours de l'hospitalisation, son état physique s'est mis à se détériorer dès sa sortie, et ce en dépit d'un suivi régulier de l'équipe soignante.

Aujourd'hui, son poids s'est stabilisé à 35 kilos (77 lb). Elle ne veut plus être hospitalisée et demande qu'on ne l'y force plus, car elle prétend qu'il est évident qu'après dix années de vaines tentatives, elle est incapable de se sortir de cette maladie. Elle préfère donc qu'on la laisse vivre ainsi plutôt que de l'obliger à subir des échecs répétés et épuisants. Avant chaque rencontre avec son médecin, elle lui téléphone pour qu'il lui promette qu'il ne la fera pas hospitaliser. Bien qu'il existe une bonne alliance thérapeutique entre elle et son médecin, il n'a pas été possible de négocier d'autre traitement qu'une rencontre mensuelle au cours de laquelle on évalue son état physique (rythme cardiaque, température, poids, etc.) tout en effleurant ce qui se passe dans sa vie. S'il advenait qu'elle soit en danger, elle accepterait une hospitalisation pour qu'on traite les complications physiques et qu'elle puisse reprendre un maximum de deux à trois kilos (de quatre à six livres). Sur le plan personnel, elle a interrompu ses études, elle vit en appartement avec une colocataire, elle a une amie qu'elle voit de temps à autre et elle maintient des contacts distants avec sa mère et une sœur. Ces dernières ont renoncé à l'aider davantage, mais elles comprennent que leur présence affectueuse demeure importante.

Les visites médicales sont le seul filet de sécurité qu'elle tolère. Chaque fois qu'on lui a proposé un objectif plus élevé, elle s'est découragée et a manqué la rencontre suivante. Elle répète souvent que son anorexie est son unique identité. L'équipe accepte ce compromis et continue à offrir un soutien qui, au moindre signe de sa part, pourrait s'intensifier.

L'acceptation d'une maladie chronique est un processus difficile tant pour la patiente que pour la famille et l'équipe soignante. Renoncer à vouloir guérir, c'est se résigner, mais cette résignation ne doit pas être synonyme d'abandon. La famille et les thérapeutes, après de multiples efforts qui ont abouti à des échecs, risquent d'avoir envie de laisser tomber, de cesser d'investir de l'énergie pour la personne anorexique, de la laisser à elle-même. « Après tout, c'est ce qu'elle veut », auront tendance à dire certains. C'est le début de l'abandon. Encore ici, il est essentiel de se rappeler que la patiente n'est pas « responsable » de sa maladie, qu'elle n'est pas une « entêtée qui a eu le dernier mot », mais une personne qui souffre et qui a encore besoin d'aide.

Il est difficile pour l'équipe traitante et la famille de renoncer à rechercher la guérison ou même l'amélioration. Toutefois, il peut être dommageable de s'acharner et de vouloir guérir la personne à tout prix, car cela donnera lieu, tôt ou tard, à un découragement qui pourra à son tour entraîner des comportements de rejet et d'abandon. Il est préférable de repenser le contrat thérapeutique. Toutes les personnes engagées, thérapeute, médecin, famille et patiente, doivent se concerter. Le contrat doit évoluer et impliquer un « accompagnement de soutien et de maintien ». Il est essentiel de maintenir un lien thérapeutique de confiance entre la personne et un membre de l'équipe traitante, et de s'assurer que les relations entre la patiente et sa famillle sont chaleureuses de manière que chacun évite les affrontements au sujet de la nourriture et du poids. La famille est parfois tentée de rechercher des méthodes thérapeutiques miracle, à caractère ésotérique, coûteuses à la fois financièrement et affectivement, mais qui ne font que donner de faux espoirs. Il est préférable de se fixer des buts tels que les suivants :

– Stabiliser le poids actuel même s'il est nettement inférieur à la normale, tout en encourageant la jeune femme à demeurer dans une zone qui ne met pas sa vie en péril ;

– Devant le refus de la patiente de manger normalement, accepter qu'elle s'alimente avec des suppléments nutritifs liquides (Ensure, Boost, etc.) ;

– Accepter un filet de sécurité constitué d'un suivi médical ayant pour but de prévenir ou de traiter les complications (anémie, ostéoporose, dénutrition grave, etc.), ce qui peut, à l'occasion, signifier que l'on va utiliser le gavage par tube nasogastrique. Une telle mesure est passagère et n'a que des effets temporaires. C'est un traitement qui prévient les complications graves, mais il ne constitue pas en soi une méthode thérapeutique valable à long terme.

Dans certains cas, les membres de l'équipe traitante, la famille et aussi la patiente doivent aborder l'éventualité d'une issue fatale. On doit discuter du recours aux hospitalisations et à la nutrition forcée de manière réaliste en évitant, d'une part, l'acharnement thérapeutique et, d'autre part, l'abandon hostile. Tant la famille que l'équipe soignante doivent se questionner sur leurs attitudes, leurs attentes et leurs réactions face aux défis que représente la maladie chez la personne anorexique. En tout temps, c'est celle-ci qui doit rester au centre des préoccupations.

CHAPITRE 15

Utilisation des médicaments

Sommaire

Bien que les médicaments jouent un rôle secondaire dans le traitement des troubles des conduites alimentaires, il est avantageux de les utiliser dans certaines situations.

ANTIDÉPRESSEURS

Les études n'ont pas montré d'avantages à associer une médication antidépressive au traitement des jeunes femmes anorexiques. Par ailleurs, on a démontré que la fluoxétine (Prozac® [C, F]), un inhibiteur sélectif de la recapture de la sérotonine (ISRS), aidait des jeunes femmes qui avaient suivi un traitement hospitalier à maintenir un poids normal et des comportements alimentaires appropriés. On peut donc se servir des ISRS à ces fins chez des jeunes femmes gravement atteintes. On peut aussi avoir recours aux ISRS lorsque la dépression persiste même après la reprise du poids. Toutefois, la médication antidépressive est plus ou moins efficace pour traiter une dépression s'il n'y a pas eu au préalable de gain de poids. On utilise également les ISRS lorsque l'anorexie s'accompagne de troubles obsessionnels-compulsifs.

Les effets des antidépresseurs de la classe des ISRS ont surtout été étudiés dans le traitement de la boulimie. Des recherches ont démontré qu'ils avaient permis de réduire considérablement le nombre de crises boulimiques et de vomissements dans des groupes de patientes comparés à un groupe témoin. On évalue leur efficacité à environ 50 %, c'est-à-dire qu'ils diminueraient en moyenne de moitié le nombre de crises hebdomadaires de boulimie. Certaines patientes ont même noté un arrêt complet des crises. On doit utiliser les ISRS à dose maximale ; à titre d'exemple, on administrera la fluoxétine à raison de 60 mg par jour si la jeune fille la tolère bien. Selon l'ISRS utilisé, l'effet stimulant et sédatif peut varier (voir le tableau 15.1). Par ailleurs, ce traitement ne saurait être efficace à moyen ou à long terme s'il n'est pas associé à une approche psychothérapique cognitivo-comportementale ou autre. Les principaux effets secondaires des ISRS sont la faiblesse, les céphalées, les nausées, l'insomnie et des dysfonctionnements sexuels.

TABLEAU 15.1
Les ISRS et le traitement de la boulimie

Nom générique	Nom commercial	Stimulation/ sédation	Doses/jour	Effets secondaires
Fluoxétine	Prozac® (C,F)	+++/+	40-60 mg	Nausées, constipation, troubles sexuels, maux de tête, selles molles
Sertraline	Zoloft® (C, F)	++/+	100-150 mg	
Fluvoxamine	Luvox® (C) Floxyfral® (F)	+/+++	100-300 mg	
Paroxétine	Paxil® (C) Deroxat® (F)	+/+++	40-60 mg	
Citalopram	Celexa® (C) Seropram® (F)	+/+	40 mg	

Légende : +++ effet marqué ++ effet modéré + effet faible

ANXIOLYTIQUES

On recommande parfois à certaines jeunes femmes anorexiques de prendre des benzodiazépines, médicaments anxiolytiques, avant les repas pour diminuer l'anxiété d'anticipation relative à l'alimentation lorsque celle-ci est très élevée (voir le tableau 15.2). On utilise cette médication à petite dose et pour de courtes périodes, surtout quand la personne recommence à s'alimenter.

TABLEAU 15.2
Anxiolytiques (benzodiazépines)

Nom générique	Nom commercial	Doses (prendre une heure avant les repas)
Lorazépam	Ativan® (C) Temesta® (F)	0,5 mg
Oxazépam	Sérax® (C) Sereste® (F)	15 mg
Clonazépam	Rivotril® (C, F)	0,25 mg

STIMULANTS DE L'APPÉTIT

Aucun médicament de cette catégorie n'a démontré une efficacité dans le traitement de l'anorexie mentale. L'appétit n'est pas en cause dans cette maladie, et la plupart des personnes anorexiques n'ont pas perdu le goût de manger.

REMPLACEMENT HORMONAL

Les œstrogènes sont souvent prescrits pour prévenir l'ostéopénie et l'ostéoporose en réduisant la perte de calcium. Il existe une relation étroite entre la carence en œstrogènes et le développement de l'ostéoporose. Une étude menée auprès de patientes anorexiques (Klibanski et coll., 1995) a établi qu'il y avait une augmentation de 4 % de la densité osseuse chez des jeunes femmes qui prenaient des œstrogènes, alors que dans le groupe témoin, où on n'en prenait pas, on observait une baisse de 20 %. Le remplacement hormonal chez les patientes souffrant d'anorexie aurait donc une certaine efficacité dans le traitement et la prévention de l'ostéoporose.

CALCIUM ET VITAMINE D

Le contenu alimentaire en calcium que l'on absorbe au cours des trente premières années de l'existence influe de façon déterminante sur la valeur de la masse osseuse maximale et constitue une réserve pour la vie. On peut donner un supplément de calcium aux personnes souffrant d'ostéopénie et d'ostéoporose. Dans ce cas, il doit être associé à la vitamine D. Les besoins en calcium sont de 1 500 mg par jour tandis qu'en vitamine D, ils sont de 800 UI par jour. Il s'agit probablement de la thérapie la plus importante pour la prévention de l'ostéoporose chez les patientes anorexiques.

RÉGULATION DU MÉTABOLISME OSSEUX

L'alendronate (Fosamax® [C]), un régulateur du métabolisme osseux, constitue une médication nouvelle efficace dans le traitement de l'ostéoporose chez les femmes ménopausées. Il y aurait lieu d'expérimenter cette médication auprès des patientes souffrant d'une ostéoporose sévère avec risque de fracture. La dose est de 5 à 10 mg par jour, et il faut prendre le médicament 30 minutes avant les repas, avec un grand verre d'eau. On doit éviter de s'allonger après la prise de ce médicament, ce jusqu'au repas en raison du risque d'irritation œsophagienne.

AGENT FAVORISANT LA MOTILITÉ GASTRO-INTESTINALE

Les patientes se plaignent fréquemment pendant la phase de la réalimentation de symptômes gastro-intestinaux, dont la sensation de ballonnement qui suit les repas. Ce phénomène est relié à une diminution de la motilité gastro-intestinale, que l'on peut améliorer en prescrivant de la dompéridone (Motilium®), qui stimule les contractions de l'estomac. La dose habituelle est de 10 mg, 15 à 30 minutes avant les repas. Il faut toutefois être prudent en utilisant cette médication, car elle peut devenir une habitude indésirable. C'est pourquoi on ne devrait l'administrer qu'au début de la phase de la réalimentation, dans les cas où le ballonnement est important, et sous surveillance médicale.

LAXATIFS

Certaines personnes abusent des laxatifs parce qu'elles veulent maigrir, parce qu'elles sont constipées ou pour ces deux raisons. Il est important de leur expliquer que ces médicaments ne font pas maigrir et qu'en plus ils peuvent causer de graves problèmes digestifs. Une alimentation régulière et une réhydratation sont les bases du traitement de la constipation. Avec la reprise d'un poids normal et une bonne hydratation, qui implique l'absorption de six à huit verres d'eau par jour, l'intestin devrait progressivement se remettre à bien fonctionner. Si en dépit de ces mesures la constipation persiste, l'utilisation d'un agent muciloïde (Metamucil®, un supplément de fibres) est indiquée. Il se peut alors que l'intestin mette plusieurs semaines avant de se remettre à fonctionner normalement.

Il est parfois nécessaire d'hospitaliser les patientes qui abusent des laxatifs depuis plusieurs mois ou plusieurs années afin de les mieux traiter. Dans ces cas, il faut cesser la prise de tous les laxatifs pour quelques jours. En plus d'offrir des séances de psychoéducation relativement à la constipation, on prescrira un agent muciloïde (Metamucil®) ; si les selles ne redeviennent pas normales après quatre jours, un adoucisseur de selles tel le docusatisodique (Colace®) sera prescrit. Après une semaine, on ajoutera des suppositoires de glycérine, et si, après deux semaines, l'intestin ne fonctionne pas encore, il faudra procéder à des lavements légers pour finalement utiliser des agents d'irrigation. Dans de rares cas, l'intestin demeure atone et ne se remet jamais à fonctionner normalement, ce qui nécessite le recours à des laxatifs et à des lavements sous contrôle médical (Colton, Woodslide et Kaplan, 1999).

APPENDICE

RENSEIGNEMENTS UTILES

Lectures suggérées

ANTONY, M.M. et SWINSON, R.P., 1998, *When Perfect Isn't Good Enough*, Oakland, CA, New Harbinger.

Ce livre explique clairement les composantes du perfectionnisme et suggère plusieurs exercices pratiques pour corriger ce trait de personnalité et les problèmes qu'il peut entraîner.

BOISVERT, J.-M. et BEAUDRY, M., 1979, *S'affirmer et communiquer*, Montréal, Les éditions de l'Homme.

Livre pratique écrit dans un langage clair portant sur l'ABC de la communication et de l'affirmation de soi avec des exercices à réaliser. Il enseigne l'art de faire et de refuser une demande, d'exprimer des critiques et de répondre à celles des autres ainsi que de transmettre et de recevoir des compliments.

BRUCH, H., 1983, *L'énigme de l'anorexie : la cage dorée*, Paris, Presses universitaires de France, 181 pages. Traduction de *The Golden Cage : The Enigma of Anorexia Nervosa*, Cambridge, MA, Havard University Press, 1978.

Un livre qui nous permet de comprendre le monde intérieur de la personne anorexique. Hilde Bruch est une figure dominante dans l'histoire, l'étude et le traitement de l'anorexie mentale.

DAVIS, M., ROBBINS ESHELMAN, E. et MCKAY, M., 1995, *The Relaxation and Stress Reduction Workbook*, Oakland, CA, New Harbinger.

L'ouvrage explique clairement les différentes techniques de relaxation qu'il suggère : respiration, visualisation, training autogène, etc. On vous guide étape par étape dans l'apprentissage de ces techniques.

GARNER, D.M. et GARFINKEL, P.E., 1997, *Handbook of Treatment for Eating Disorders*, New York/London, The Guilford Press, 528 pages.

Un manuel spécialisé destiné aux professionnels qui couvre de façon détaillée l'ensemble des aspects thérapeutiques de l'anorexie mentale et de la boulimie.

SALOMÉ, J. et GALLAND, S., 1990, *Si je m'écoutais, je m'entendrais*, Montréal : Les éditions de l'Homme.

Livre écrit dans un langage clair avec un côté humoristique portant sur les relations interpersonnelles et la communication. Il traite notamment des types de relation, des saboteurs (jalousie, culpabilité, jugement, comparaison, etc.) et des fausses croyances.

SCHMIDT, U. et TREASURE, J., 1998, *La boulimie : S'en sortir repas après repas*, Paris, Édition Estem, 176 pages. Traduction de *Getting Better Bit(e) by Bit(e)*, London, Psychology Press, 1993.

Un petit manuel pratique écrit par deux psychiatres de l'Unité des troubles du comportement alimentaire du Maudsley Hospital de Londres, centre de traitement de renommée internationale. C'est un instrument d'auto-traitement simple et efficace rédigé dans un langage clair.

TREASURE, J., 1997, *Anorexia Nervosa : A Survival Guide for Families, Friends and Sufferers*, London, Psychology Press, 1997, 161 pages.

Ce livre est divisé en quatre sections : 1) survol de l'anorexie mentale ; 2) conseils aux familles et aux proches qui veulent aider ; 3) conseils aux personnes qui souffrent d'anorexie ; 4) recommandations pour les professionnels. Il guide les uns et les autres dans leurs comportements et attitudes face à l'anorexie, les encourageant et leur donnant des outils pour travailler ensemble à vaincre cette maladie. Il n'existe pas de traduction française.

Organismes d'entraide

ASSOCIATION POUR L'ANOREXIE ET LA BOULIMIE (ANEB), Québec
(Association d'aide aux personnes anorexiques et boulimiques)
114, boul. Donegami, Pointe-Claire (Québec) H9R 2W3
Tél. : (514) 671-6131
www.generation.net/~anebque

Cette association offre des groupes de soutien et des ateliers pour les proches, et donne des conférences dans les écoles (activités de prévention).

MAISON DE TRANSITION L'ÉCLAIRCIE
1100, route de l'Église, Sainte-Foy (Québec) G1V 3V9
Tél. : (418) 650-1076 Téléc. : (418) 650-1297

Cet organisme communautaire offre une aide téléphonique et un soutien individuel et de groupe aux personnes anorexiques et boulimiques.

Centres de traitement spécialisé

PROGRAMME DES TROUBLES DE L'ALIMENTATION
Centre hospitalier Douglas, Verdun (Québec) H4H 1R3
Tél. : (514) 761-6131

Le service comprend une clinique externe, un programme de jour et l'hospitalisation.

PROGRAMME DES TROUBLES DES CONDUITES ALIMENTAIRES
Département de psychiatrie du Centre hospitalier universitaire de Québec (CHUQ), Centre hospitalier de l'Université Laval (CHUL), Sainte-Foy (Québec) G1V 4G2
Tél. : (418) 654-2177

Le service comprend une clinique externe, un programme de jour et l'hospitalisation.

CLINIQUE DE L'ADOLESCENCE
Hôpital Sainte-Justine, Montréal (Québec) H3T 1C5

Roman

BRISAC, G., 1994, *Petite*, Paris, Éditions de l'Olivier, 121 pages.

Un roman qui nous fait pénétrer dans le monde d'une jeune femme anorexique.

Vidéocassettes

PRÉGENT, J., 1988, *La peau et les os*, Québec, Office national du film, 88 minutes.

Film réalisé au Québec et qui aborde l'anorexie mentale à travers différents témoignages où se confondent fiction et histoires vécues.

GUERNON, S. et PIXCOM, 1996, *Ma jolie prison*, Montréal, Fondation de l'Hôpital Sainte-Justine, 29 minutes.

Document présentant des témoignages de patientes et de leurs familles ainsi que de thérapeutes.

Note : Ces deux vidéocassettes sont disponibles à l'Audiovidéothèque de l'Hôpital Sainte-Justine, 3175, chemin de la côte Sainte-Catherine, Montréal (Québec) H3T 1C5. Tél. : (514) 345-4677.

BIBLIOGRAPHIE

AGRAS, S., HAMMER, L., et MCNICHOLAS, F., 1999, « A Prospective Study of the Influence of Eating Disordered Mothers on Their Children », *International Journal of Eating Disorders*, vol. 25, n° 3, p. 253-262.

AMERICAN PSYCHIATRIC ASSOCIATION, 1996, *Diagnostic and Statistical Manual of Mental Disorders*, 4e édition, Washington, DC. Traduction française *DSM-IV – Manuel diagnostique et statistique des troubles mentaux*, Paris, Masson.

AMERICAN PSYCHIATRIC ASSOCIATION, 2000, « Practice Guideline for Eating Disorders », *American Journal of Psychiatry*, vol. 157, n° 1, supplément, janvier.

BACHAR, E., 1998, « The Contributions of Self-Psychology to the Treatment of Anorexia Nervosa and Bulimia », *American Journal of Psychotherapy*, vol. 52, n° 2, p. 147-165.

BAKER, D., ROBERTS, R. et TOWELL, T., 2000, « Factors Predictive of Bone Mineral Density in Eating Disordered Women : A Longitudinal Study », *International Journal of Eating Disorders*, vol. 27, n° 1, p. 29-35.

BECK, A.T., 1979, *Cognitive Therapy of Depression*, New York, Guilford Press.

BECK, J.S., 1995, *Cognitive Therapy : Basics and Beyond*, New York, Guilford Press.

BRUCH, H., 1978, *The Golden Cage : The Enigma of Anorexia Nervosa*, Cambridge, Harvard University Press.

BURNS, D., 1994, *Être bien dans sa peau,* 5e édition, Montréal, Héritage. Version originale publiée par William Morrow & Company.

CASPER, R.C., 1990, « Personality Features of Women with Good Outcome from Restricting Anorexia Nervosa », *Psychosomatic Medicine*, vol. 52, n° 2, p. 156-170.

COLLECTIF ACTION ALTERNATIVE EN OBÉSITÉ, 1999, Rapport du projet « Bien dans sa peau », Québec.

COLTON, P., WOODSLIDE, D.B. et KAPLAN, A.S., 1999, « Laxative Withdrawal in Eating Disorders : Treatment Protocol and 3 to 20 Month Follow-Up », *International Journal of Eating Disorders*, vol. 25, n° 3, p. 311-317.

CRISP, A.H., 1980, *Anorexia Nervosa : Let Me Be*, New York, Grune and Stratton.

CRISP, A.H., PALMER, R.L. et KALUCY, R.S., 1976, « How Common Is Anorexia Nervosa ? A Prevalence Study », *British Journal of Psychiatry*, vol. 128, p. 549-554.

DAVIS, R., DEARING, S., FAULKNER, K., JASPER, K., OLMSTED, M.P., RICE, C. et ROCKERT, W., 1989, *The Road to Recovery*, Toronto Hospital, Toronto General Division.

DIAZ-MARSA, M., CARRASCO, J.L., HOLLANDER, E., CESAR, J. et SAIZ-RUIZ, J., 2000, « Decreased Platelet Monoamine Oxidase Activity in Female Anorexia Nervosa », *Acta Psychiatrica Scandinavia*, vol. 101, n° 3, p. 226-230.

EMBORG, C., 1999, « Mortality and Causes of Death in Eating Disorders in Denmark 1970-1993 : A Case Register Study », *International Journal of Eating Disorders*, vol. 25, n° 3, p. 243-251.

FAIRBURN, C.G., COOPER, I., DOLL, H.A. et WELCH, S.E., 1999, « Risk Factors for Anorexia Nervosa : Three Integrated Case-Control Comparisons », *Archives of General Psychiatry*, vol. 56, n° 5, p. 468-476.

FAIRBURN, C.G., COWEN, P.J. et HARRISON, P.J., 1999, « Twin Studies and the Etiology of Eating Disorders », *International Journal of Eating Disorders*, vol. 26, n° 4, p. 349-358.

FICHTER, M.M. et QUADFLIEG, N., 1997, « Six-Year Course of Bulimia Nervosa », *International Journal of Eating Disorders*, vol. 22, n° 4, p. 361-384.

FLUOXETINE BULIMIA NERVOSA COLLABORATIVE STUDY GROUP, 1992, « Fluoxetine in the Treatment of Bulimia Nervosa, Placebo Controlled, Double-Blind Trial », *Archives of General Psychiatry*, vol. 49, n° 2, p. 139-147.

GARFINKEL, P.E., LIN, E., GOERING, P., SPEGG, C., GOLDBLOOM, D.S., KENNEDY, S., KAPLAN, A.S. et WOODSIDE, D.B., 1995, « Bulimia Nervosa in a Canadian Community Sample : Prevalence and Comparison of Subgroups », *American Journal of Psychiatry*, vol. 152, n° 7, p. 1052-1058.

GARNER, D.M., 1991, *Eating Disorder Inventory-2 : Professional Manual*, Odessa, Psychological Assessment Resources.

GARNER, D.M., 1997, « Psychoeducational Principles », dans D.M. Garner, *Handbook of Treatment for Eating Disorders*, 2e édition, New York, Guilford Press, p. 67-93.

GARNER, D.M. et GARFINKEL, P.E., 1979, « The Eating Attitude Test : An Index of the Symptoms of Anorexia Nervosa », *Psychological Medicine*, vol. 9, n° 2, p. 273-279.

GARNER, D.M. et GARFINKEL, P.E., 1980, « Socio-Cultural Factors in the Development of Anorexia Nervosa », *Psychological Medicine*, vol. 10, n° 4, p. 647-656.

GARNER, D.M., VITOUSEK, K.M. et PIKE, K.M., 1997, « Cognitive Behavioral Therapy for Anorexia Nervosa », dans D.M. Garner, *Handbook of Treatment for Eating Disorders*, 2e édition, New York, The Guilford Press, p. 94-144.

GREENBERGER, D. et PADESKY, C.A., 1995, *Mind over Mood : Changing How You Feel by Changing the Way You Think,* New York, Guilford Press.

GUIDE ALIMENTAIRE CANADIEN POUR MANGER SAINEMENT, 1992, Ministre des approvisionnements et Services Canada.

GUNDERSON, J.G. et PHILIPS, K.A., 1995, « Personality Disorders », chap. 25, dans H.I. Kaplan et B. Sadock, 1995, *Comprehensive Textbook of Psychiatry/VI*, vol. 2, p. 1425-1461, Baltimore, Williams and Wilkins.

HACK, H.W., 1993, « Review of the Epidemiological Studies of Eating Disorders », *International Review of Psychiatry*, vol. 5, n° 1, p. 61-74.

HALMI, K.A., ECPERT, E., MARCHIS, P., SAMPUGNARO, V., APPLE, R. et COHEN, J., 1991, « Comorbidity of Psychiatric Diagnosis in Anorexia Nervosa », *Archives of General Psychiatry*, vol. 48, n° 8, p. 712-718.

HALMI, K.A., 1991, « Thérapies des troubles alimentaires : Difficultés et pièges », *Psychothérapies*, vol. 3, n° 3, p. 151-154.

HERPETZ-DAHLMANN, B., WEWETZER, C., HENNIGHAUSEN, K. et REMSCHMIDT, H., 1996, « Outcome, Psychological Functioning and Prognostic Factors in Adolescent Anorexia Nervosa as Determined by Prospective Follow-Up Assessment », *Journal of Youth and Adolescence*, vol. 25, n° 4, p. 455-471.

HERZOG, D.B., DORER, D.J., KEEL, P.K., SELWYN, S.E., EKEBLAD, E.R. et FLORES, A.T., 1999, « Recovery and Relapse in Anorexia and Bulimia Nervosa : 7,5 Year Follow-Up Study », *Journal of the American Academy of Child and Adolescent Psychiatry*, vol. 38, n° 7, p. 829-837.

HERZOG, D.B., PEPOSE, M., NORMAN, D.K. et RIGOTTI, M.A., 1985, « Eating Disorders and Social Maladjustment in Female Medical Students », *Journal of Nervous and Mental Disorders*, vol. 173, n° 12, p. 734-737.

HOLLAND, A.J., SICOTTE, N. et TREASURE, J., 1988, « Anorexia Nervosa : Evidence for a Genetic Basis », *Journal of Psychosomatic Research*, vol. 32, n° 6, p. 561-571.

JEAMMET, P.H., BUCHON, G., PAYAN, C., GORGE, A. et FMERANIAN, J., 1991, « Le devenir de l'anorexie mentale : Une étude projective de 129 patients évalués au moins quatre ans après leur première admission », *Psychiatrie de l'enfant*, vol. 34, n° 2, p. 381-442.

JOHNSON, C., CONNORS, M.E. et TOBIN, D.L., 1987, « Symptom Management of Bulimia », *Journal of Consulting and Clinical Psychology*, vol. 55, n° 5, p. 668-676.

JONES, D., FOX, M., BABIGIAN, H. et HUTTON, H.E., 1980, « Epidemiology of Anorexia Nervosa in Monroe County, New York : 1960-1976 », *Psychosomatic Medicine*, vol. 42, n° 6, p. 551-558.

KAYE, W., GENDALL, K. et STROBER, M., 1998, « Serotonin Neuronal Function and Selective Serotonin Reuptake Inhibitor Treatment in Anorexia Nervosa and Bulimia Nervosa », *Biological Psychiatry*, vol. 44, n° 9, p. 825-828.

KEEL, P.K., MITCHELL, J.E., MILLER, K.B., DAVIS, T.L. et CROW, S.J., 2000, « Social Adjustment over 10 Years Following Diagnosis with Bulimia Nervosa », *International Journal of Eating Disorders*, vol. 27, n° 1, p. 21-28.

KEESY, R.E., 1995, « A Set-Point Model of Body Weight Regulation », dans K.D. Brownell, *Eating Disorders and Obesity*, New York, Guilford Press.

KENDLER, K.S., MACLEAN, C., NEALE, M., KESSLER, R., HEATH, A. et EAVES, L., 1991, « The Genetic Epidemiology of Bulimia Nervosa », *American Journal of Psychiatry*, vol. 148, n° 12, p. 1627-1637.

KEYS, A., BROZEK, J., HENSCHEL, A., MICKELSEN, O. et TAYLOR, H.L., 1950, *The Biology of Human Starvation*, Minneapolis, University of Minnesota Press.

KLERMAN, G.L., WEISSMAN, M.M., ROUNSAVILLE, B.J. et CHEVRON, E.S., 1984, *Interpersonal Psychotherapy of Depression*, New York, Basic Books.

KLIBANSKI, A., BILLER, B.M., SCHOENFELD, D.A., HERZOG, D.B. et SAXE, V.C., 1995, « The Effects of Estrogen Administration on Trabecular Bone Loss in Young Women with Anorexia Nervosa », *Journal of Clinical Endocrinology and Metabolism*, vol. 80, n° 3, p. 898-904.

LAUFER, M., 1986, « Psychopathologie de l'adolescent et objectifs thérapeutiques », dans F. Ladame et P. Jeammet, *La psychiatrie de l'adolescent*, coll. « Le fil rouge », Paris, Presses universitaires de France.

LEIBOWITZ, S.F., 1995, « Central Physiological Determinants of Eating Behavior and Weight », dans K. Brownell, *Eating Disorders and Obesity*, New York, Guilford Press.

LUCAS, A.R., BEARD, C.M., O'FALLON, W.M. et KURLAND, L.T., 1985, « 50-Year Trends in the Incidence of Anorexia Nervosa in Rochester, Minnesota : A Population Based Study », *American Journal of Psychiatry*, vol. 148, n° 7, p. 917-922.

1983 Metropolitan Height and Weight Tables, 1983, New York, Metropolitan Life Insurance Company.

MCMULLIN, R.E., 2000, *The New Handbook of Cognitive Therapy Techniques*, New York, W.W. Norton & Company.

MINUCHIN, S., ROSMAN, B.L. et BAKER, L., 1978, *Psychosomatic Families : Anorexia Nervosa in Context*, Cambridge, Harvard University Press.

MITCHELL, J.E., SERM, H.C., COLON, E. et POMEROY, C., 1987, « Medical Complications and Medical Management of Bulimia », *Annals of Internal Medicine*, vol. 107, n° 1, p. 70-77.

MORGAN, G.J. et MAYBERRY, N.F., 1983, « Common Gastrointestinal Diseases and Anorexia Nervosa in British Dieticians », *Public Health*, vol. 97, n° 3, p. 166-170.

ORGANISATION MONDIALE DE LA SANTÉ, 1994, *CIM-10 — Classification internationale des troubles mentaux et des troubles du comportement : Critères diagnostiques pour la recherche*, 10e révision, Genève, OMS et Paris, Masson.

PALAZZOLI, S., 1986, *Self Starvation*, Northvale/London, Jason Aronson.

POLIVY, J. et HERMAN, C.P., 1985, « Dieting and Binging : A Causal Analysis », *American Psychologist*, vol. 40, n° 2, p. 193-201.

POMERLEAU, G. et RATTÉ, C., 2000, « Dix notions de psychoéducation dans le traitement de la boulimie », *Le clinicien*, vol. 15, n° 9, p. 64, septembre.

PROCHASKA, J.O., DICLEMENTE, O.C. et NORCROSS, J.C., 1992, « In Search of How People Change : Applications to Addictive Behaviors », *American Psychologist*, vol. 47, n° 9, p. 1102-1114.

RASTAM, M., GILLBERG, C. et GILLBERG, I.C., 1996, « A Six-Year Follow-up Study of Anorexia Nervosa Subjects with Teenage Onset », *Journal of Youth and Adolescence*, vol. 25, p. 439-453.

RATTÉ, C. et POMERLEAU, G., 1999, « Vicissitudes de l'évolution de l'anorexie mentale chez les adolescentes », *Prisme*, n° 30, p. 126-143.

RATTÉ, C., POMERLEAU, G. et LAPOINTE, C., 1989, « Dépistage des troubles des conduites alimentaires chez une population d'étudiantes de niveau collégial : Corrélation avec deux caractéristiques psychosociales », *Canadian Journal of Psychiatry*, vol. 34, n° 9, p. 892-897.

RUSSELL, G.F.M., 1979, « Bulimia Nervosa : An Ominous Variant of Anorexia Nervosa », *Psychological Medicine*, vol. 9, n° 3, p. 429-448.

SIMMONDS, M., 1914, « Veber Embolische Prozesse in der Hypophysis », *Archives of Pathology and Anatomy*, 217, p. 226-239.

SOHLBERG, S. et NORRING, C., 1989, « Ego Functioning Predicts First-Year Status in Adults with Anorexia Nervosa and Bulimia Nervosa », *Acta Psychiatrica Scandinavia*, vol. 80, p. 325-333.

SOHLBERG, S.S., NORING, C.E.A. et RISMARK, B.E., 1992, « Predictors of the Course of Anorexia Nervosa/Bulimia Nervosa over 3 years », *International Journal of Eating Disorders*, vol. 12, nº 2, p. 121-131.

SOHLBERG, S. et STROBER, M., 1994, « Personality in Anorexia Nervosa : An Update and a Theoretical Integration », *Acta Psychiatrica Scandinavia*, vol. 89, suppl. 378, p. 1-13.

STEIGER, H. et ISRAËL, M., 2000, « Personality Pathology in the Eating-Disorder Sufferer : A Practice-Oriented Guide », atelier, 9th International Conference on Eating Disorders, New York, 5 mai.

STEIGER, H., LEHOUX, P.M. et GAUVIN, L., 1999, « Impulsivity, Dietary Control and the Urge to Binge in Bulimia Syndroms », *International Journal of Eating Disorders*, vol. 26, nº 3, p. 261-274.

STEIGER, H. et STOTLAND, S., 1996, « Prospective Study of Outcome in Bulimics as a Function of Axis-II Comorbidity : Long-term Responses on Eating and Psychiatric Symptoms », *International Journal of Eating Disorders,* vol. 20, nº 2, p. 149-162.

STONEHILL, E. et CRISP, A.H., 1977, « Psychoneurotic Characteristics of Patients with Anorexia Nervosa Before and After Treatment and at Follow-Up 4-7 Years Later », *Journal of Psychosomatic Research*, vol. 21, n° 3, p. 187-193.

STROBER, M., FREEMAN, R., LAMPERT, C., DIAMOND, J. et KAYE, W., 2000, « Controlled Family Study of Anorexia Nervosa and Bulimia Nervosa : Evidence of Shared Liability and Transmission of Partial Syndromes », *American Journal of Psychiatry*, vol. 157, nº 3, p. 393-401.

STROBER, M., FREEMAN, R. et MORRELL, W., 1997, « The Long-Term Course of Severe Anorexia Nervosa in Adolescents : Survival Analysis of Recovery Relapse and Outcome Predictors over 10-15 Years in a Prospective Study », *International Journal of Eating Disorders,* vol. 22, nº 2, p. 425-431.

SULLIVAN, P.F., 1995, « Mortality in Anorexia Nervosa », *American Journal of Psychiatry*, vol. 152, nº 7, p. 1073-1074.

SULLIVAN, P.F., BULIK, C.M., FEAR, J.L. et PICKERING, A., 1998, « Outcome of Anorexia Nervosa : A Case-Control Study », *American Journal of Psychiatry*, vol. 155, nº 7, p. 939-946.

SZMUKLER, G.I., 1985, « The Epidemiology of Anorexia Nervosa and Bulimia », *Journal of Psychiatric Research*, vol. 19, nºs 2-3, p. 143-153.

THEANDER, S., 1985, « Outcome and Prognosis in Anorexia Nervosa and Bulimia : Some Results of Previous Investigations, Compared with Those of a Swedish Long-Term Study », *Journal of Psychiatric Research*, vol. 19, nºs 2-3, p. 493-580.

TREASURE, J., 1999, *Anorexia Nervosa : A Survival Guide for Families, Friends and Sufferers*, London, Psychology Press.

VAN DEN HAM, T., VAN STRIEN, D.C. et VAN ENGELAND, H., 1998, « Personality Characteristics Predict Outcome of Eating Disorders in Adolescents : A 4-Year Prospective Study », *European Child and Adolescent Psychiatry*, vol. 7, n° 2, p. 79-84.

WELCH, S.L. et FAIRBURN, C., 1994, « Sexual Abuse and Bulimia Nervosa : Three Integrated Case-Control Comparisons », *American Journal of Psychiatry*, vol. 151, n° 3, p. 402-407.

WHITNEY, E.N. et ROLFES, S.R., 1993, *Understanding Nutrition*, 6e édition, St. Paul, MN, West Publishing Company.

WILFLEY, D.E. et RODIN, J., 1995, « Cultural Influences on Eating Disorders », dans D. Brownell, *Eating Disorders and Obesity*, New York, Guilford Press.

WILLI, J. et GROSSMAN, S., 1983, « Epidemiology of Anorexia Nervosa in a Defined Region of Switzerland », *American Journal of Psychiatry*, vol. 140, n° 5, p. 565-567.

WILSON, G.T., FAIRBURN, C.G. et AGRAS, W.S., 1997, « Cognitive Behavioral Therapy for Bulimia Nervosa », dans D.M. Garner, *Handbook of Treatment for Eating Disorders*, New York, Guilford Press.

WOOLEY, S.C., 1995, « Feminist Influences on the Treatment of Eating Disorders », dans K.D. Bronwell, *Eating Disorders and Obesity*, New York, Guilford Press.

INDEX

A

B

C

R

S

T

V